安徽省卓越人才教育培养计划项目（编号：2012zjjh031）
2014年安徽省高等学校省级质量工程项目“中学物理实验教学论”（编号：2014mooc032）
2015年安徽省高等学校省级质量工程项目“科学教育虚拟仿真实验教学中心”（编号：2015xnzx012）

国培学苑

阜阳师范学院国家培训项目成果集

小学科学卷（2014—2016）

GUOPEI XUEYUAN
FUYANG SHIFAN XUEYUAN GUOJIA PEIXUN XIANGMU CHENGGUO JI
XIAOXUE KEXUE JUAN（2014—2016）

主　编　屈　奎
副主编　顾江鸿

安徽师范大学出版社
·芜湖·

图书在版编目(CIP)数据

阜阳师范学院国家培训项目成果集.小学科学卷:2014—2016 / 屈奎主编.—芜湖:安徽师范大学出版社,2017.12

("国培"学苑)

ISBN 978-7-5676-3086-4

Ⅰ.①阜… Ⅱ.①屈… Ⅲ.①科学－教学研究－小学 Ⅳ.①G632.0

中国版本图书馆CIP数据核字(2017)第213064号

阜阳师范学院国家培训项目成果集
小学科学卷(2014—2016)

屈　奎　主编

丛书策划:汪鹏生　黄成林

责任编辑:何章艳

装帧设计:任　彤

出版发行:安徽师范大学出版社

芜湖市九华南路189号安徽师范大学花津校区

网　　址:http://www.ahnupress.com/

发 行 部:0553-3883578　5910327　5910310(传真)

印　　刷:虎彩印艺股份有限公司

版　　次:2017年12月第1版

印　　次:2017年12月第1次印刷

规　　格:700 mm × 1000 mm　　1/16

印　　张:14.5

字　　数:256千字

书　　号:ISBN 978-7-5676-3086-4

定　　价:49.80元

阜阳师范学院“国培计划”项目成果系列丛书
编辑委员会

本书编辑委员会

总　序

中小学教师国家级培训计划，简称“国培计划”，是教育部、财政部于2010年开始实施的旨在提高中小学教师特别是农村教师队伍整体素质的重要举措，对于解决我国中西部农村地区基础教育薄弱、实现我国基础教育均衡发展、促进教育公平具有战略性意义。“国培计划”项目为广大农村教师和紧缺薄弱学科教师接受更多高水平培训提供了机会，为促进义务教育均衡发展和教育公平做出了应有的贡献。

阜阳师范学院创办于1956年，1977年开始招收本科生，2013年开始独立招收硕士研究生。建校以来，学校始终秉承“发挥教师教育优势，服务地方基础教育”的办学理念，主动对接安徽基础教育发展需要，成就辉煌。自2010年“国培计划”实施以来，学校全面贯彻落实“国培计划”实施要求，组织强有力的领导班子和高水平的专家团队，在深入调研的基础上，紧紧围绕“国培计划”项目的宗旨和目标，科学设定培训课程，创新培训教学和管理模式，取得了显著的成效。学校连续获准参与“国培计划”项目，迄今先后培训农村义务教育及学前教育教师4000余人次，充分体现了教育部、省教育厅对学校的信任和支持，学校也从中积累了大量行之有效的培训经验。在教育部对“国培计划”学员的回访中，学校组织实施的多个“国培计划”项目获得“优秀”；在教育部组织的数次匿名评估中，学校承担的“国培计划”项目评估结论位于全省前茅。

“国培计划”项目的实施，进一步促进了学校面向基础教育、服务基础教育、研究基础教育，有力地促进了学校教师教育人才培养模式的改革。同时，学校在实施“国培计划”项目过程中，通过专家授课（讲座）、学员研修等方式，积累了大量的珍贵资料，开发、生成了一批优质培训课程资源。为了进一步总结学校实施“国培计划”项目经验，提升“国培计划”项目质量，同时为了与各“国培计划”承办单位、培训教师以及广大中小学、幼儿园教师共同分享“国培计划”项目优质教学资源，更好地服务地方基础教育发展，经研究，学校决定将“国培计划”

专家授课(讲座)、经验总结、学员研修等形成的珍贵资料予以整理、编辑，并以“‘国培’讲坛”“‘国培’论坛”“‘国培’学苑”系列丛书的形式，分学科分卷陆续出版。其中，每卷设主编(副主编)若干人，负责组织书稿、撰写该卷前言等事宜，并负责联系入卷文稿的作者，征得他们的同意和支持，切实维护知识产权。

第一轮“国培计划”项目实施已经圆满结束，第二轮已经开始。我们希望本丛书的编辑出版，能够有力推动第二轮“国培计划”项目的实施，为实现我国基础教育的持续改善和发展提升做出应有的贡献。

阜阳师范学院“国培计划”项目成果系列丛书编辑委员会

2016年12月18日

前　言

小学阶段的科学教育，是对小学生的科学启蒙教育，对培养青少年的科学素养和建立正确的唯物主义世界观具有十分重要的影响。小学科学教师是实施小学科学教育的主力军，必须具有一定的专业素质，而目前却面临着比较尴尬的现状：首先，在师资力量上，专业的科学教师缺乏，相当一部分科学教师由其他科目教师兼任；其次，小学科学教师的科学素养在地域上具有较大的差异性，就安徽省来说，南方优于北方，较发达城市优于一般城市。这应该与较发达地区具有较好的软硬件条件有关，也与较发达地区的良好待遇能够吸引优秀教师有关，更重要的是与不同地区对科学课程的重视程度不同有关，这些差异在一定程度上反映了教育水平和资源的不均衡性。

为进一步推动教师培训改革，推进教师培训综合改革试点工作，安徽省教育厅在2014年组织实施了“国培计划（2014）”——安徽省中小学综合改革项目。该项目采取混合式培训模式，于2014—2016年对中小学（含幼儿园、特殊教育学校）优秀骨干教师进行为期2年的培训，通过跨年度、分阶段连续递进式培训，帮助骨干教师提升专项能力，总结教学经验，塑造教学风格，凝练教育思想，促进教师螺旋式发展，培养一批教育教学改革的带头人和骨干培训者。该项目中，阜阳师范学院承担了小学科学和小学综合实践活动两门课程的培训任务，具体教学任务和学员管理等工作由物理与电子工程学院负责组织实施。

小学科学国培班共有学员41人，来自全省各地小学科学教育的第一线。为完成培训目标，提升我省小学科学教育的师资水平，管理者对培训内容进行了精心的计划和准备。培训采取专家讲座、观摩教学、课程评比、主题讨论会、教具制作比赛等多种形式，教师团队既有本校的专家教授，又有教育部和省教育厅的相关专家，还有从全国范围内邀请的优秀小学科学教师和教研员。2年之内共集中面授40余天，开设专家讲座达35场次，实践性课时超过180节。

为了总结培训成效，固化学员研究成果，同时也为了与广大中小学一线教师分享小学科学教育教学研究心得,根据阜阳师范学院“国培计划”项目成果系列丛书编辑委员会整体安排,对小学科学国培班学员研究成果结集出版。本书分为“教研论文篇”“教学设计篇”“教学叙事篇”三个部分。

在编辑整理书稿的过程中,编辑委员会全体成员付出了辛勤的劳动,对他们的无私奉献精神和团队合作精神表示深深的感谢。阜阳师范学院继续教育学院院长梁家贵教授、物理与电子工程学院院长李季教授审阅了书稿,并提出了富有建设性的意见与建议,在此谨向两位领导、专家表示衷心的感谢。

由于编者水平和精力有限,书稿中错误和不妥之处在所难免,在此谨向读者表示歉意,敬请批评指正。

屈　奎

2017年1月于阜阳师范学院

目　　录

教研论文篇

教学设计篇

教学叙事篇

教研论文篇

教育写作事关教育教学经验和智慧的传承。如果没有教育写作，一位教师教了一辈子书，光荣退休后，他终生积累的教育教学经验、升华出的教育教学智慧也随之离开了我们的校园！如果没有教育写作，后续者们还必须再苦苦寻觅，重复老教师当年的故事；我们的教育也将在这样的循环往复中裹足不前，成为一棵永远都长不大的树。

教育写作决定一名教师专业发展的高度。作为教师，无论是挥汗于课堂，还是忙碌于校园，不管是备课和批改作业，还是谈心和组织活动，实质上都是一种研究教育教学、反思成败得失的过程。在这个过程中，总会灵光一闪，想出一个"再教方案"，诞生一条教育策略，设计一项教育活动。但是，我们往往除了陶醉于方案的成功，欣喜于成效的卓著之外，也就这样过去了，想不到去总结、提炼，形成文字予以记载。

由阜阳师范学院继续教育学院承办的"国培计划(2014)"——安徽省中小学综合改革项目"小学科学班"历时两年，举办了四次集中培训，学员们在专家引领下，互帮互助，取得了丰硕的成果。本书收录了学员的部分研修成果，内容涉及小学科学的各个方面，具有一定的参考价值。

诚然，教无止境，学无止境。作为一名教师，我们应清楚自己的长处和不足，我们只有不断思考、不断探索，用我们的智慧、用我们卓有成效的实践与创新为教育之树松土、施肥、浇水，才能让教育之树根深叶茂，茁壮成长！

许守有

2016年10月11日

对“课堂教学最优化”的一点思考

陈绪敏[①]

摘　要：“课堂教学最优化”理论是近几年比较流行的教学理论，但是，在实际教学中，它有很多局限性。我们在实际教学中，应该舍得把时间花在学生的身上，因为教育不是一种“产品”，更多的是心灵的影响。

关键词：课堂教学最优化；高效课堂

教育家巴班斯基提出了“课堂教学最优化”理论，有的教育研究者根据这一理论，创造出了“高效课堂”的教学模式。一时间，“课堂教学最优化”“高效课堂”等成了新教育方式的代名词。

所谓“课堂教学最优化”就是指以科学方法为指导，根据具体的教学条件和要求，对构成教学的诸多要素进行全面、系统的分析，高效率地选择与组合各种教学措施，以便在一定时间内，以较少的时间、精力和费用获取最大的教学效果。在《论教学过程的最优化》一书中，巴班斯基指出，“用较小的代价获得最大的教学效果”是“课堂教学最优化”理论的核心概念，他认为这是教学最优化的标准，也是进行教学设计的原则或指导思想。“课堂教学最优化”，换句话说就是“优质高效、省时低耗”。

巴班斯基的理论有其先进的地方，但是，任何教学手段和方法都有它的适用时间和范围，教师需要对具体情况进行具体分析。“课堂教学最优化”理论，存在很多不切合实际情况的误用，特别是很多人把“最优化”简单理解成“短时、高效”。但教育很难做到“短时、高效”，因为我们只有在生产一种产品的时候，才有可能真正做到“短时、高效”；教育不是工厂的流水线，“课堂教学最优化”理论

① 陈绪敏，女，本科学历，六安市人民路小学高级教师。主讲课程：小学数学，小学科学。

也并不适合所有的教育情况。

记得有一位教育专家说过:“教育,就是你舍得把时间花在孩子们的身上。”苏霍姆林斯基也说过:“我没有什么特别的本领,只有把我所有的时间都贡献给孩子们。”由此可见,教育是一种心灵的影响,需要花费很多时间,“短时、高效”是很难实现的。就像读一本书,囫囵吞枣式读法确实很快,但效果不会好,要把书读透,必须付出一定的时间,教育也是这样。

我有一个学生,特别调皮,上课经常乱动,有时还会钻到桌子底下。为了能让他有一个良好的学习习惯,我可没少花心思。课堂上有针对性地找他回答问题,课下找他谈话,晓之以理,动之以情,有时还会给他讲一些名人努力学习的小故事。总之,用尽一切办法,花费了很多时间,但这个学生并没有像我想象的那样,教育一两次就改掉了缺点。孩子的进步很缓慢,不过我并没有放弃,也准备花更多的时间在他身上。这显然不符合巴班斯基“课堂教学最优化”的理论,但是,为了孩子,我觉得值得。

就是在课堂上,我们也很难做到“短时、高效”,因为学生的思考需要时间,探究需要时间,小组讨论需要时间。很多专家都强调过,要让学生充分地讨论,不要让小组讨论只是“走过场”。但要让学生讨论,就不可能“短时”。有一次,上的是“植物的叶”一课,我把学生带到了操场上,并且让学生主动去探索植物的叶子有些什么特点。学生先是找叶子、捡叶子,这就用了很长时间。然后再观察叶子,又用了十多分钟。因为班上学生比较多,每个学生都想讲出自己的发现,所以我就让他们在小组里面讲。为了让学生真正对大自然感兴趣,而不是只记住书本中的理论知识,我放手让他们去讲述、去探究,因为在探究的过程中,他们真正动手动脑了。我想,这就够了,至于“高效”,并不是那么重要的。

“短时、高效”,不是绝对的。为了把孩子教育好,我想,能“短时”更好,但如果“短时”不行,“长时”也未必不好。

再现生活场景，促进学习进程向好发展

邓　海[①]

摘　要：小学科学课应重视学生的生活体验，通过各种方式再现生活场景，将科学课与学生生活紧密融合，真正唤起学生的各种知识储备，激发探究的兴趣，促进学习进程向好发展。

关键词：科学课程；生活；学习进程

18世纪伟大的教育家卢梭，在《爱弥尔》中提到了各种教育方法，主张遵循自然、顺应人的本性的教育。中国人民教育家陶行知先生就曾有名言："行是知之始，知是行之成。"可见无论中外，教育都重视儿童的本性，重视学习者的经历。小学科学就是这样一门重视学生经历的课程，其课程标准明确指出"学会用科学的思维方式解决自身学习、日常生活中遇到的问题"。

科学课教学强调解决日常生活中遇到的问题，那么问题从何而来呢？从学生中来。建构主义理论提出，学生作为学习主体，他们是在个体的生活经验基础上、在主动的活动中建构自己的知识。这个观点我非常认同，小学生虽然年纪小，但他们的生活经历决定了他们不是白纸一张，他们对问题有自己的解释，而积极有效的学习就是对以往的知识体系进行改造、修正、充实、完善的过程。

作为科学学科教师，应重视学生的经验，寻找并选择日常生活中遇到的典型问题，通过再现生活场景，找到解决问题的方法，帮助学生进一步建构知识结构，促进学习进程向好发展。

① 邓海，女，大专学历，芜湖市柳春园小学高级教师，副校长。主讲课程：小学科学。

一、从备课开始,走进学生的生活

1. 合理处理教材,贴近学生生活

教材的编写是面向大众的。教师作为教材的使用者,在执行课程标准的同时可以优化教学内容,做到灵活、多变。对教材的处理可以采用修改法,可以采用加减法,还可以采用排序法。

如“空气的热胀冷缩”一课,教材开篇是:“水和许多液体都有热胀冷缩的性质,空气是否会热胀冷缩呢?”这样的问题直白,没有生活积累。那就改一改,用玩具“喷水娃娃”引入。当学生看到玩具娃娃喷水时,欢笑声不绝于耳。欢笑之后,学生可能会问:“娃娃为什么会喷水?”“喷水为什么时断时续?”……这样一系列疑问就会促使学生去进一步探究玩具娃娃喷水的秘密。

2. 选择身边材料,提升探究动力

由于小学生对什么都好奇,科学课用的材料如果是学生不常见的、不知道的,就脱离了学生的生活,会将学生的注意力过多地集中到材料上,学习进程就会被干扰。为减少学习进程中的干扰因素,我尽可能从学生周围去寻找素材,再现熟悉的生活场景,为构建新的知识找到基础,为探究注入动力。如“分离食盐与水的方法”一课要用到酒精灯、石棉网、蒸发皿、三脚架等一些陌生的实验器材,教师需要介绍实验器材、实验注意事项,学生实验时对器材使用不熟悉,耗时耗力。此时可以采用蜡烛、铁汤匙等学生熟悉的物品予以替代。这些物品既可以让每个学生经历用加热蒸发的方法分离食盐与水,又可以节约时间,减少用酒精灯进行实验的危险性。再如一根塑料吸管既可以演示液体的热胀冷缩,又可以验证光的直线传播;用可乐瓶可以制作生态瓶,可以制作计时器,还可以作为研究食品包装袋上的信息的载体;玩玩乒乓球就可以证明空气的存在……这些物品随手可得,更重要的是选择这些物品对学生学科学的影响,可以让学生明白科学探究就在身边,探究无处不在。

二、教学实施中再现生活场景

1. 精心设计生活化的导入

“好的开始是成功的一半”,可见在教学的实施中引入很重要。

在教学“比较韧性”一课时,一开始教师提出一个问题:“比一比,看谁能找到5种塑料制品。”学生一听,马上来劲了,什么原因,熟悉呀!“雨衣、塑料管、拉

链、塑料袋、塑料杯、铅笔盒……”，黑板上立刻写出了十五六个物品。“为什么用塑料做雨衣？”“为什么用塑料做杯子？”“为什么用塑料做眼镜片？”“为什么用塑料做尺子？”……从这些问题入手，生活场景一幕幕再现，学生在热烈的讨论中不知不觉了解了塑料的特性，这就是科学。

教师要乐于寻找，找到课程内容与学生生活的交点。合适的交点可以有效激发学生的学习兴趣，推动学习进程向好的方向发展。

2. 教学过程要搭建在学生生活经验之上

科学课程标准强调从学生“生活经验”出发。如果认真做一些调查就会发现，小学生的生活经验是很有意思的。他们会认为，衣服可以提供热量，纸和木头的硬度一样，云是由水蒸气构成的，不会飞的肯定不是鸟……教师要有挖掘的意识，找到认知的冲突，在学生生活经验之上搭建新知识，有效促进学习进程的发展。在教学五年级“热起来了”一课时，作为单元的起始课，教师一定要让学生充分展示他们的生活经验，只有这样才可能根据学生的实际情况推进教学过程。教学中我先让小组讨论“能让我们热起来的办法”，再在班级研讨“找出‘热起来’的共识”，学生根据自己的生活经验一致认同穿衣服可以热起来！这种来自学生的普遍错误经验恰恰是教学的价值所在，这样的教学自然又生动。通过调动学生已有的生活经验激发其思维，可以使教学过程的推进自然有效。

3. 在探究中思考，提升生活经验

科学课上，教师为学生提供探究机会的时候，也是学生探究学习的开始，学生在探究学习中渐渐形成科学的思维方法和态度。教师可以为学生创设合适的探究内容，从而提升学生的生活经验。在教科版四年级“探索尺子的音高变化”一课中，学生的生活经验是尺子可以发出声音，所以我将这一课做了适当调整。调整一，将“探索尺子的音高变化”调整为“探索尺子的声音变化”；调整二，研究同一把尺子，观察不同的发声方法下尺子的声音变化；调整三，给学生20分钟，让学生进行充分的探究；调整四，交流时学生全体参与，当某一位同学汇报尺子的声音变化时，其他同学采用投票形式参与，如果不认同该同学的观点需要说明原因。这样的教学，让探究有空间、交流有效果，让每一位学生获得进步。

三、拓展延伸，回归生活

科学课教学的最终目标是“培养学生的科学素养，学会用科学的思维方式解决自身学习、日常生活中遇到的问题，并为他们以后的终身学习服务”。教育需要回归生活，因此，学生学习进程的发展需要在生活中历练。

课堂探究时间是有限的，怎样将活动引导到课堂以外，指导学生学会关注生活？科学教师可以通过提供主题，引导学生在课外活动中学习。受教科版中“校园生物大搜索”一课的启示，从2013年开始，芜湖市在全市范围内开展了“一平方米绿色生态”种植活动，学生利用课余时间在科学老师的带领下，选种、种植、管理、收获，建构了属于自己的知识系统，同时在各种管理活动中实现了生命教育。再如，上过“杠杆的研究”一课后，我让学生参与家里的晾衣服活动，思考晾衣架上的衣服怎么晾更合适，感受“杠杆”的科学。

科学课中生活场景再现为学生打开了思维之门，提供了很多情理之中、意料之外的科学素材。这些素材会进一步引导学生在今后的生活中继续学习，促进学习进程的发展。

浅析小学科学教学中的几个误区及对策

黄仁军[①]

摘　要：作为小学科学教师，怎样以科学课程为载体培养学生的科学素质，让他们养成做事有计划、说话有根据的良好习惯，是我们思考的主题。本文针对怎样上好一节科学课，实现简约高效的科学课堂，提出了小学科学教学的几个误区并给出了具体对策。

关键词：小学科学；教学误区；教学对策

小学自然改为小学科学以后，教师的教育观念改变了，教师的角色转变了，学生学习科学的兴趣被激发了，学生的好奇心得到了呵护，学生的科学素养得到了培养，科学课堂显得活跃了。我是一位基层的小学科学教师，也听了同行的许多节科学课，发现在小学科学教学中存在几个误区，值得小学科学教师重视，以便更好地上好小学科学课。

误区之一：科学课程是"副课"，备课要求不高

基于以往的陈旧思想，一些学校包括教师潜意识里认为科学这门课程是"副课"，学校对这门课要求不高，家长对这门课也不重视，所以教师在这门课上也不够重视，主要体现在以下几个方面：

1. 不了解学生已有的知识基础

不同的学生有不同的生活经验，对周围环境有不同的认识。例如，农村的孩子对"蚯蚓"比较熟悉，而城里的学生可能根本没见过"蚯蚓"。要上好一节课，教师要了解学生原有知识基础、动手实验能力、心理需求等，然后在此基础

---

① 黄仁军，男，专科学历，广德县兴华小学高级教师，德育主任。主讲课程：小学科学。

上确立不同的教学目标;同时,教学目标的确定需要针对具体的内容或活动、可得到的资源以及目标所指向的学生进行研究与分析,以便挖掘教学内容潜在的教育意义。

2. 不研究课程标准,不了解编者意图

我作为一线科学教师,听过很多中心校科学教师的课,也与他们深入交流过,发现很多教师都是教"教材",教材上有什么活动、有什么内容,就会依葫芦画瓢照着去做,不去了解编者为什么要安排这个活动,甚至为了简便,还出现了将原本让学生动手操作的内容改为演示、需要演示的内容改为口述等现象。其实,教学前深入研读课程标准和教学参考书很重要。一套教材的编写是以学生的年龄特征和认知水平为前提的,而且教材中各个知识点是系统安排的。教学需要达到怎样的目标?学生将获取哪些知识?能力将得到多大程度的提升?教材中安排的活动仅仅是活动吗?在活动中要让学生达到怎样的目标?所有这些问题我们在课前必须通过认真研读教材加以分析,才能做到有的放矢。

例如,小学科学大象版六年级"探寻光的路线"一课,教材首先安排的是模拟建筑物采光不足的实验,紧接着是一幅图——两个小朋友分别拿着像镜子一样的反光片向墙上照射。这样的教材内容我们如何处理?编者的意图是什么?研究后不难发现,教材是利用生活中的情境让学生发现问题——采光不足的原因之一跟光的传播路线有关,怎样让光线改变传播方向是学生要探究的问题。接下来的活动就应该是教师提供各种材料,充分调动学生的已有生活经验,放手让学生探究光的知识。这样的课对学生科学素养的培养才有意义。

3. 拘泥于实验室的实验材料

现在学校都配有实验室,实验器材相当多。有些老师上课前不先做一遍实验,上课时在实验室找到实验器材就匆忙上阵,往往出现实验不成功或实验结果不明显的现象。究其原因,主要是准备不充分或对标配实验器材过于依赖。科学课上要用到许多材料,这是科学课的一大特点。准备实验材料是课前准备的一个重要环节,合理选择和使用材料能使科学探究事半功倍。例如,在小学科学苏教版四年级"物体的运动方式"一课中,教师没有拘泥于实验室器材,而是牢牢把握物体运动方式的特点,为学生提供了小汽车玩具、陀螺、发条小青蛙玩具、小电风扇等。选择具有趣味性的玩具作为实验材料,可以让学生在"玩中学",在轻松有趣的活动中感知物体的运动方式。

误区之二:探究活动注重结果而不注重过程

探究是学生获得知识的重要途径。第斯多惠说:“要给予儿童真知,更要引导他们主动寻求真知。”正所谓授人以“鱼”不如授人以“渔”,课堂上的科学探究活动,不仅是学生获取知识的过程,还是培养学生动手能力、交流能力、科学思维、科学方法的重要途径。可是,作为科学教师,如果不关注学生科学素养的培养,只关注科学知识的传授,教学只注重结果而不注重过程,那便与科学教学相违背了。

【案例1】在教学“摆”这一课时,教师首先引导学生提出问题:“摆的快慢和什么因素有关?”然后根据学生的猜测,指导学生设计合理的实验方案,让学生分小组开展自主探究活动。10分钟后,让学生整理器材,组织学生汇报实验探究的结果。

师:你们小组测量出10秒钟内摆摆动多少次了吗? 你们发现了什么?

生1:我们小组测得10秒钟内长摆线的摆摆动9次,短摆线的摆摆动12次,我们发现了摆的快慢与摆线的长短有关。

师追问:有什么关系呢? 能具体一点吗?

生1:摆线越短,摆得越快;摆线越长,摆得越慢。

师:很好,你们发现了吗!(老师对这组学生的实验探究结果很满意,因为这就是老师需要的结果。)

生2:老师,我们实验的结果是长摆线的摆和短摆线的摆在10秒钟内都摆动9次。我们认为摆的快慢与摆线的长短无关。

老师被这不一样的结论弄得不知所措,考虑到课堂时间的问题,忙岔开话题:你们小组的结论我们课后再讨论好吗?

一次很好的教育机会就这样失去了。

对策:

师:你们小组这种注重实验事实的精神很好,老师要为你们点赞。但为什么你们的实验结果会与其他小组的不一样呢? 你们能不能将你们的实验再做一遍呢?(这样舍得多花几分钟的时间,问题出现在哪儿就一目了然;再让其他小组去评价,学生的印象会更深刻。)

误区之三:课堂指令性活动也是自主探究

在小学科学课堂中,也许很多人认为实验可以再现科学现象,帮助学生了解一些现象发生的原因，课堂上以实验为载体可以培养学生的自主探究能力，提高学生的科学素养。殊不知有些教师为了让课堂更好掌控，为了能更快得到自己想要的答案，无形之中步入误区，将课堂原本的学生自主探究活动变成教师的指令性活动，“探究”大打折扣。如在研究“100毫升水能溶解多少克食盐”的问题时，有教师是这样设计的：

【案例2】100毫升水能溶解多少克食盐？

(1)预测100毫升水能溶解多少克食盐。

(2)小组制订计划。

(3)分组实验：教师提供每份2克的食盐若干份，强调小组成员分工，按老师要求统一操作：请1号同学加盐，2号同学搅拌，3号同学观察，4号同学记录；再请1号同学加盐……

(4)小组汇报结论。

这节课看似热热闹闹，结论也好像是学生自己发现出来的，但活动过程中，学生没有自主权，完全按照老师准备好的实验器材和设计好的实验步骤一步步来，学生从中取得的收获是有限的，因为学生没有真正进行自主探究学习。这样的活动本质上是一种指令性活动，学生处于观察实验活动的层面，自主探究活动尚未真正发生。

对策：

(1)学生结合生活经验，预测100毫升水能溶解多少克食盐。

(2)小组制订计划。

生1：准备50克食盐，一点一点地加，边加边搅拌，直到不能溶解为止，再称剩下的食盐。

生2：先加10克，搅拌后如完全溶解再2克2克地加。

生3：5克5克地加食盐直到不能溶解，再将不能溶解的食盐过滤出来，用蒸发皿蒸干称重。

对于学生充分的交流思考，教师并没有加以否定，而是根据学生的方案，提供所需的实验器材，放手让他们去做。在规定的时间内看哪个小组最先完成，而且探究数据相对准确，这样哪种方法好就不言而喻了。

实验结束后让各小组对自己的实验进行反思和互评，这样学生的科学探究能力和科学思维能力会得到较大的提高。自主的科学探究活动应该是开放的、自主的、以学生为主体的，只有学生亲身经历科学探究的过程，真正自己设计实验方案、自己开展实验研究，才会有更多的、自己的、真实的发现。

小学科学教育是一个载体，承载着培养学生的科学思维、提高学生的科学素养的任务。我们作为一线科学教师承载着艰巨的使命，我们需要与时俱进，走出误区，创造性地用好教材，做好学生科学道路上的引路人。

小学科学课堂教学有效性的几点思考和措施

李长育[①]

摘　要：小学科学课堂教学存在教师课堂准备不足、探究活动质量不高、小组合作探究较少、交流研讨环节弱化等问题。针对这些不足，可采取强化交流研讨环节、有效指导课堂教学、有效组织小组合作等措施来提高小学科学课堂教学的有效性，从而达到培养小学生科学素质的目标。

关键词：小学科学课堂教学；有效性教学；有效性教育策略

一、小学科学课堂教学存在的问题

小学科学课程是以培养小学生科学素质为宗旨的启蒙课程。以科学探究为核心，让学生经历探究过程、体验科学的本质，引领他们感受科学、体验科学，从而在科学态度、科学知识、科学探究方面都获得发展。然而，我根据自身的经历发现，相当多的小学科学课堂教学效率有待提高。课堂效率不高主要有以下几个方面原因。

1. 课前教师教学准备不足，影响实际教学效果

目前，科学课教师绝大部分为兼职教师，缺乏专职教师。有的学校虽然配备了专职教师，但课时安排过多或其他工作过多，教师感到力不从心，时间和精力不够用，这就造成课前对教材认识不深、把握不准确，活动材料准备不充分等问题，不能保证科学课的授课质量。教师课前准备越充分，课堂效率就越高；反之，则低效。如果教师对教材理解不透，不了解学生的原有认知，忽视了材料在课堂教学中的作用，也会出现课堂教学低效的现象。

---

① 李长育，男，专科毕业，合肥市朝霞小学高级教师。主讲课程：小学科学。

2. 课堂上探究活动质量不高,缺乏教师必要的探究指导

探究性活动是学习科学的根本方法,其重要的特点是学生在活动中的自主性以及活动形式的开放性。目前,大部分教师的课堂教学活动可能涉及多个探究活动,时间可能不够,这就要求教师对活动内容进行提炼,要"少而精"。在小组探究中,我们常看到这样的现象,场面热热闹闹,学生积极参加,好像人人都在参与,但这种热闹场面的背后是探究活动还停在表层上。科学探究需要动手实验,但动手之前要动脑,怎样设计实验、需要什么材料、设计什么表格等,这些都需要教师的引导和帮助。另外,在探究过程中,在总结实验结果、交流研讨等环节,教师都要给予适当指导。

3. 小组之间合作探究较少,缺乏良好的小组学习氛围

小组合作是新课程倡导的主要学习方式之一,所以很多科学教师很注意学生的合作学习。但是,目前大部分教师只是关注了合作学习的形式——以小组为单位,而没有真正发挥小组的智慧,没有调动学生的积极性,没有达到合作学习的效果。汇报时都是单个小组在汇报,探究时各个小组又是独立的,学生没有进行有效的交流。小组成员各自分工固定,每个人各司其职,久而久之成员之间思维固化,影响了成员的发展和提升。

4. 交流研讨环节弱化,影响科学概念的建构

交流研讨环节是小学科学探究活动中非常重要的环节,但由于课堂时间和空间的限制,在一定程度上小组讨论不够充分,交流、研讨的时间和效果大打折扣,导致实验结果和数据处理不充分。

二、提高科学课堂教学有效性的几点措施

根据以上情况,要提高科学课堂教学有效性,师资力量暂且不谈,主要从课前准备和学生良好习惯培养、课堂指导和有效探究、有效组织和有效参与方面加以强化。

1. 课前准备充分,有利于提高科学课堂教学质量

上课前的备课很重要。所以,上课前要求教师要把精力放在备课上。备教材时,要求教师在编写科学课堂教学预案时,要理解教材,研究教材中每个活动的内容及内涵,研究教材中每个探究性活动的结构及前后联系;备学生时,要了解学生的原有认知和生活经验,知道他们有哪些已有的知识和已会的技能,使不同的学生在原有基础上有所收获和提高;备材料时,为学生准备不同种类的

材料。教师应充分尊重学生的意愿，让学生根据选择的问题，自己设计方法，自己选择和组合所用的材料，鼓励学生使用不同的方法和不同的材料，充分利用和发挥学生主体的价值，促进学生自主学习、自主创造，以进一步提升学生的科学素养。备课后，教师还要对活动中可能出现的问题进行预测，要充分预见学生会提出哪些问题、会做些什么、会发现什么、会得出哪些结论等，以便提高课堂教学的有效性。

2. 课堂上有效指导，提高探究的效果

课堂教学是教学目标明确、按计划、有组织、有步骤的教师的教与学生的学相结合的双边活动过程。教学目标的完成必须以良好的教学秩序为前提，这就要求教师首先要具有较强的课堂教学调控和组织能力，其次要选择有效的教学策略来激发学生的学习兴趣，提高学生的课堂参与度，从而提高课堂教学效率。一方面，教师可以观察学生探究中的困难、需要以及他们活动的认真程度等；另一方面，加强对探究过程的科学指导和引导，不让探究活动流于形式。同时，也应注意指导的针对性，满足不同层次学生的学习需要，激发他们的学习兴趣，以有效的指导促进有效的探究。教师与学生的“合作”主要体现在：教师以平等、尊重的态度鼓励学生积极参与教学活动，与学生相互启发、一起探索，与学生共同感受成功和挫折，分享发现和成果。学生是科学学习的主人，教师在小组活动中起着组织者的作用，必要时可以参与小组讨论和演示实验，给学生启发和指导，帮助学生建立知识间的联系，在教学中做好引导者、合作者的角色。

3. 有效组织小组合作，增强有效的教学参与

(1)探究合作的组织要到位。首先，小组要实行科学合理的分工。要明确每个成员的分工，确定组长、记录员、材料员、汇报员等。当然，角色应该经常轮换，这样做能让学生认识到各个角色的责任以及存在的意义，从中体会到大家是一个团队。教师在课堂实践中应从学生的学习兴趣、生活经验和认知水平出发，倡导体验、实践、参与、合作的学习方式。自主探索不是自由探索，小组合作讨论要提前准备，防止小组合作混乱、学生发言没有中心。小组合作学习的问题、内容不能过于简单，否则缺乏探究、交流讨论的价值，可能导致学生在合作时无所事事、浪费课堂时间等。

(2)要科学指导探究活动，注重实时评价。在科学课程教学中，观察、实验、思考的活动比较多，这些活动大多需要分组、分工合作来完成。若学生的探究活动目的明确,能分工合作,而且有时间观念,那么活动组织是有效的,活动结果是高效的。这就要求教师要告诉学生小组合作学习的方法。合作前,小组要确立目标,明确组内分工;合作时,围绕某一个问题展开讨论,充分发表自己的意见和建议,最后达成共识,解决问题,必要时教师要给予适当的指导;合作后,交流学习,小组成员在各自的猜想或研究的基础上,在小组内交流,相互学习,相互帮助,共同进步。课堂上教师要对学生给予实时、恰当的评价,使每位组员知道自己的进步及解释问题的角度、能力等,体验成功的喜悦,从而进一步激发兴趣。

在课堂活动中,教师要注意培养和激发学生的科学兴趣,也许多年后学生记不住教师讲了多少知识点,但记住了一个有趣的实验,记住了科学课曾给他们带来的乐趣和憧憬,这就够了。

让科学探究更有效

刘 虓[①]

摘 要：小学科学课程把探究式学习作为学生学习科学的重要方式，但探究活动的成效有明显的差异。我们应当从激发探究的兴趣、明确探究的目的、指导探究的过程、及时鼓励和评价四个方面入手，让科学探究更有效。

关键词：小学科学课程；探究性学习；有效教学

《义务教育小学科学课程标准》指出：探究式学习是学生学习科学的重要方式。学生要在探究过程中理解科学概念，掌握科学方法，培养科学态度。因此，大多数科学教师都能在自己的实际教学活动中，积极组织学生进行各种探究活动。然而，我们发现，不少科学课在貌似热热闹闹的探究活动结束之后，学生的收获并不大，探究的成效并不明显。这样的探究活动背后折射出的是浮躁、无效的探究，极大地降低了探究的价值。那么，如何在小学科学教学中组织学生进行有效的探究活动？我认为应注意以下几点。

一、激发探究的兴趣

众所周知，兴趣是最好的老师。学习任何一门知识，如果学生对此不感兴趣，没有学习的热情，肯定无法学好。因此，教师在组织科学探究活动时，要从学生的年龄特点和认知特点出发，利用学生好奇心强的特点，根据探究活动的内容，采用游戏、猜谜、设置悬念等形式来激发学生的探究兴趣。比如，我在执教"比较水的多少"一课时，先对学生说："今天老师给大家带来了一点小礼物，想得到礼物吗？"学生异口同声地回答："想。"这时，我又告诉学

---

① 刘虓，男，大专学历，太和县第十一小学高级教师。主讲课程：小学科学。

生："这个礼物可不容易得到，同学们必须先接受一项挑战，等完成任务后才能得到礼物。你们有信心完成任务吗？"学生信心十足地回答："能。"此时，学生探究问题的欲望已经被点燃，这时我出示三个装着水的不同形状的透明瓶子，让学生猜测哪个瓶子里的水多，哪个瓶子里的水少。学生汇报猜测结果之后，我引导学生设计并完成探究活动。当然，在活动顺利完成后，我出示礼物——两瓶牛奶，找几名同学猜一猜每瓶各装了多少毫升的牛奶，并把牛奶送给答案最接近正确答案的学生。我觉得这节课上得还算成功，而课前设置送礼物的环节，激起了学生的好奇心、好胜心，为后面探究学习的完成奠定了基础。

二、明确探究的目的

毋庸置疑，要想让科学探究更有效，教师必须在学生探究之前告诉学生，在本节课中通过探究要认识到什么，即目标一定要清晰明确，并且在活动时让学生明确他们的探究目标，动手前有思考，避免盲目性。记得我在第一次执教"用显微镜观察身边的生命世界(一)"的时候，尽管在发放实验器材之前，带领学生认识了显微镜的各个部分，并介绍了显微镜的使用方法，但是当显微镜和洋葱切片发给各小组后，有的学生并没有严格按照我介绍的方法和步骤去仔细观察洋葱细胞的切片，而是在简单观察后，就在那反复地调节旋钮玩，或者把头发等小物品放到镜头下面观察。等到交流汇报时，很多小组说不出洋葱细胞的形状。这样的结果令我很失望，同时也引起了我的反思：这节课学生没有完成课前设定的教学目标，原因在于老师没有在实验前把探究的目标进行明确，学生不知道要观察到的现象是什么，所以会浅尝辄止。探究目标的缺失，使学生在实验时找不到方向，效果自然可想而知。在第二次上课时，我介绍完显微镜的构造和使用方法后，明确告诉学生：接下来我们要观察洋葱表皮细胞的切片，各小组要清晰地观察到洋葱细胞的形状结构，并用画图的方式记录下来。观察结束后，各小组要把自己的记录粘贴在黑板上展示。这一次，学生很清楚自己要探究的内容，实验目标明确，在汇报时，各小组都完成了实验任务。这次上课的经历让我认识到，在教学活动上，老师不仅自己要知道课堂教学目标，还要让学生知道他们学习的目标，这样才能激发学生学习的兴趣，引领学生发展的方向，使探究活动更加有效。

三、指导探究的过程

《义务教育小学科学课程标准》指出:在探究式学习活动中,需要充分发挥教师的引导、组织和支持作用,让学生主动而有目的地进行探究式学习。事实上,小学生由于年龄特点,加上认知水平有限,如果缺少教师适时、有效的指导,学生的科学探究就会变得目标不明确,甚至偏离方向,导致探究失败。虽然说失败也是一种磨炼,但反复的失败对于小学生的稚嫩心灵来说是无法承受的,经常的失败必将导致学生丧失科学探究的信心。因此,在探究过程中,教师要给予学生适时的指导,帮助学生把握探究的方向,使学生在经历了一段探究之后有一定的结果,体验到收获的喜悦和兴奋,获得成功感。

以我所上的一节公开课“溶解的快与慢”为例,我的教学设计思路是:①创设情境,引入新课。②设计方案,实验探究:在这一环节中,先以搅拌实验为例,让学生探讨实验方法,然后分别探究“加热能否加快溶解”与“捣碎能否加快溶解”。③结合生活,拓展探究。第一次试讲的时候,由于是借班上课,对学生的前概念不够了解,一节课足足上了50分钟,效果如何可想而知。课后进行反思时,我发现问题出现在让学生探讨搅拌实验方法上。学生对对比实验的了解不多,虽然课本上对这个实验有介绍,但学生还是不能准确区分实验中的“相同条件”和“不同条件”。因此,在第二次试讲时,我让学生仔细观察课本上的插图和对实验的介绍,并找出两幅图相同和不同的地方。这一次,学生很快弄懂了什么是“相同条件”,什么是“不同条件”,问题得到了解决,下面的探究活动学生们完成得十分出色。

当然,教师在学生探究过程中的指导一定要适时、适度,避免用教师的指导代替学生的思考和实践。

四、及时鼓励和评价

及时、适当的鼓励和评价是激发学生探究欲望、树立探究信心、保持足够探究热情、坚持有效探究的内部动力。因此,在探究活动过程中,教师要随时关注学生的活动情况并给予适当评价。哪怕一点点,只要在探究活动中有进步的表现我们都要及时表扬,如能积极思考问题、能实事求是回答问题、探究活动中能积极合作、能认真倾听他人发言等,只要在某一方面较好,就给予鼓励性评价。小学生的思维特别活跃,课堂上常常会有一些意想不到的问题蹦出来,这些问题中有许多与本节课的内容无关，有些问题甚至表述得词不达意，但这正是引发学生进入探究活动的一个切入点。不管学生提出什么样的问题，教师首先要给予肯定，如“你的思维很活跃”“你很会思考问题”“这个问题我们应该研究”等，并且要鼓励学生课下通过实地观察、查阅资料、进行实验等方式，尝试着去探究这些问题。这样才能在班级中形成积极的、宽松的、自由的学习氛围，才能激发更多学生的探究欲望，最终促进学生科学素养的不断提高。

此外，学生在课堂上对问题的回答有时不一定正确，这时教师要有耐心，让学生充分发表自己的意见。例如，我在上学期教“我们的身体”一课时让学生说说我们的身体分几个部分，学生有的说四个部分，有的说五个部分，有的说六个部分，有的说七个部分，等等。这其实都是正常的，学生给出的答案是他们的前概念水平所决定的，通过大家的讨论后是能达成共识的，而我当时就肯定了这些同学能把自己的想法、自己的意见大胆地说出来，从而激发了学生对科学探究的兴趣。

总之，让科学探究更有效是我们长期追求的目标，只有在日常教学中不断研究、不断调整，努力探索有效探究的方法和策略，提高探究的有效性，我们的科学课堂教学才能焕发出应有的活力。

自制教具在小学科学教学中的运用

任　杰[①]

摘　要：小学科学课程在新课程标准下对于提高学生的科学素养作用尤为突出，对于提高学生的学习能力和思维能力、促进学生养成良好的科学精神也具有重要意义。科学是一门以实验为基础的学科，科学实验离不开实验器材。在教学中充分使用自制教具，不仅能够提高教学的有效性，培养学生动手动脑的能力，还满足了素质教育的需要。本文主要分析了自制教具在小学科学教学中运用的意义及策略。

关键词：自制教具；小学科学教学；实验教学

一、自制教具在小学科学教学中运用的意义

1. 满足了普及实验教学的需要

在新课程标准下，小学科学教学要促进实验教学的有效性，就要在实际教学中开展普及性的实验教学。只有实验教学普及了，全体学生都能够参与到实验教学中来，才能够体验和学习实验中的科学知识。普及实验教学是利用演示实验和分组实验来实现的，而实验教学仅仅依靠“单一模式”的设备是很难达到实验教学效果的，且学生的学习兴趣很难得到提高。随着教学方法和教学对象的改变，教师应该结合教材的需要，对已有教具进行改造和更新，利用新的教具来提高学生的学习积极性，自制教具正好解决了这一问题。自制教具是小学师生自己制作的，使用起来非常方便，有很多在市场上根本就买不到。这些自制教具满足了普及实验教学的需要，也提高了实验教学的有效性。

① 任杰，男，本科学历，合肥市淮合花园小学高级教师，校长。主讲课程：小学科学。

2. 提高了教学科研水平

虽然小学科学教材是新课标版本的,但是教师可以运用多种方法来实现教学质量的提高。针对同一种内容,可以采用不同的教学方法进行教学,取得的效果也是不尽相同的。在小学科学教学中采用自制教具,为教学的丰富多彩提供了基础。而且,自制教具作为一项教学科研成果,其制作过程体现了教师与学生教学研究的过程,提高了教学科研水平。

3. 满足了提高学生综合素质的需要

自制教具满足了素质教育的要求,对于提高学生的综合素质具有重要意义。随着自制教具在小学科学教学中的广泛开展,不仅弥补了当前小学科学教具的不足,解决了教学实际中的一些具体困难,还能够让学生参与自制教具的制作、使用,这样既为科学课程教学提供了教具,也提高了学生的动手能力、学习能力。在素质教育背景下,小学科学教学的自制教具,可以让学生充分发挥自身聪明才智,提高动手操作能力,也促进了师生交流,满足了素质教育发展的要求。

二、自制教具在小学科学教学中运用的策略

1. 利用生活废弃物制作

自制教具取材方便,可以利用生活中的废弃物制作,师生可以共同完成教具制作的任务。生活中的废弃物较多,如饮料瓶、易拉罐、药瓶、泡沫塑料等,学生比较容易找到,参与的兴趣也比较高。例如,在学习空气占据空间内容的时候,为了更为直观地展示实验现象,教师可以采用一些透明饮料瓶、染色的水等自制教具;在教学热胀冷缩内容的时候,教师可以引导学生运用玻璃瓶和饮料管来研究液体的热胀冷缩性质。这样做既可以提高学生的学习兴趣,也可以让学生全部参与到实验中来。

2010年,我辅导的学生作品《快热(省电)电水壶》,就是学生利用家里的废旧电水壶制作的。通过在普通电水壶的外面增加一层壳体,并在两层壳体之间填充隔热材料,使加热过程中热散失减少,从而缩短加热时间,减少用电!

相同容量的普通电水壶烧开一壶水大概要15分钟,学生制作的快热(省电)电水壶烧开一壶水大概要14分钟,节约1分钟左右的时间,节电效果明显!该作品在2010年合肥市第25届青少年科技创新大赛上获得了一等奖。

2. 让学生制作教具，提高学生自主学习能力

在小学科学教学过程中，教师可以让学生试着自己制作教具来为实验创造条件。如果让学生自行制作教具，首先要求学生明确实验的目的、方法和要求，这时学生会仔细阅读教材，对课本内容有充分了解。此外，当学生自己制作教具的时候，学生会明白实验器材准备的不易，因而会懂得尊重教师今后的实验课前准备，也培养了学生良好的学习习惯。例如，在学习“摆”知识的时候，教师可以结合学生喜欢玩摆的特点，让学生自己制作一个摆，并按照教材中的方法玩。在课堂中，当所有学生展示出自己的摆时，丰富多彩的摆激发了学生的学习积极性，学生会主动地按照教师的要求进行操作和学习，从而有效地提高了学生的自主学习能力。

2009年，我的学生王枫桦等人，在运动会上发现，标枪项目有一定的危险性，于是萌发了制作能够发声的标枪的想法。我鼓励他们组成小组，自主探究，多做尝试，寻找合适的发声器材。通过自主学习，孩子们发现使用鸽哨发声最为合适，并通过试验发现最佳安装位置是标枪的尾部，于是制作出了带响声的标枪，见图1。

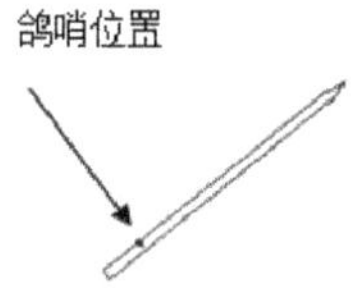

图1　带响声的标枪示意

3. 利用趣味性的自制教具激发学生好奇心

小学生对于新鲜事物具有较强的好奇心。在实验教学中，教师可以为学生设置一些趣味性的自制教具环节，使学生的学习兴趣得到提高，并促进学生发挥自己的聪明才智。自制教具具有开放性的特点，不像一般的教具那样正规，它可以别具一格，从学生生活中选择实验器材。因此，为了激发学生的好奇心，提高实验教学的有效性，教师要多注重自制教具的趣味性，让学生主动地投入教具的自制过程中来。例如，在学习摩擦起电知识的时候，教师可以组织学生制作“听话的小飞机”；在学习热胀冷缩知识的时候，组织学生开展热喷泉和冷喷泉实验；等等。通过这些有趣的教具制作来激发学生的好奇心，可以进一步提高学生的思考、探究能力。

此外，因为小学科学课程是一门培养小学生科学素养的学科，在自制教具的过程中教师要不断地完善自制教具，并不断地提高自身的综合素质，积极运用新科技、新材料，让教学内容得到拓展，教学方法得到更新，教学效果不断提高。

给小学科学教学插上飞翔的翅膀
——浅谈信息技术在小学科学教学中的应用

沈思飞[①]

摘　要:现代信息技术飞速发展,教师可以利用信息技术为教学服务。信息技术与教育教学深度融合不仅可以促进学生更好地学习,也可以帮助教师更好地完成教育教学任务。现代信息技术集文字、图形、图像、声音、动画等功能于一体,不受时空限制,直观、形象、生动,有较强的感染力。因此,现代信息技术在小学科学教学中的应用,对提高学生的学习兴趣、化解实验难点、培养学生探究能力等具有其他媒体无法比拟的优越性,犹如给小学科学教学插上飞翔的翅膀。

关键词:信息技术;小学科学;辅助教学

在教学我国航天技术在世界上占有相当重要的位置时,通过视频播放我国长征系列火箭发射神舟飞船等航天设备升空的情景,教师和学生都会心潮澎湃,情绪高昂。每当此时此刻,我们会感慨我们国家科技精英的伟大和祖国经济发展的巨大成就,感谢广大科技工作者的努力和追求。

在这一过程中,同学们受到了教育,也受到了激励,学习热情高涨,课堂纪律出奇的好,非常顺利地完成了教学任务。取得如此好的教学效果,我们由衷地感谢现代信息技术,是现代信息技术给小学科学教学插上了飞翔的翅膀!

一、现代信息技术给传统教学理念注入了新的元素

以信息技术为核心的现代教育技术,可以优化教与学中信息的传递过程,改变传统的教育模式,促进素质教育观念的确立。

---

① 沈思飞,男,本科学历,五河县实验小学高级教师。主讲课程:小学科学。

近年来，很多学校相继配备安装了交互式电子白板和实物展台，广大教师告别了粉笔、黑板时代，进入书写、批注与教学工具相结合的交互式教学新境界。交互式电子白板的图、文、音、画功能，充分调动起学生的多元学习智能，让学生自主地进行探究式、合作式学习，能有效推进信息技术与课堂教学的有机整合，全方位提高和发展学生的整体素质。

在网络背景下，学生会发现自主学习的无限乐趣，也自然养成了自主学习的好习惯。众多教师充满信心，用辛劳和智慧，赋予电子白板教育的生命，课堂教学生机勃勃。

多媒体教学树立的是以学生为本的教育理念，着重培养学生的创新意识、创新思维、创新能力。在重视学生自主学习、实现学生主体地位的同时，多媒体教学已经深入人心，成为人们学习上的良师益友。在现代教育技术辅助下，运用多媒体可以更为生动有趣地启迪、诱导学生。所以，教师在课堂教学中普遍利用多媒体充分展现课程内容和教学活动安排，通过人机实时对话、师生讨论互动等方式来进行必要的课堂交流，以满足素质教育的新要求，使教与学相得益彰，实现双赢。

二、现代信息技术丰富了教师的教学手段

现代信息技术给小学科学教学带来了翻天覆地的变化，过去讲不清、理还乱的科学道理在现代信息技术的帮助下已经变得非常容易，如物质结构、分子结构、原子结构、宇宙空间、恒星变化等内容，学生已经可以通过计算机模型和课件了解得清清楚楚。

以前的教学以教师为中心，教师总是通过自己的语言、板书以及录音、挂图、板画等手段来达到教学作用。其实，这样的教学效果并不尽如人意。现代教育技术已经把信息技术与各学科教学有机地结合起来，使教学走进了一个新的时期。

三、有利于调动学生的学习兴趣，激发学生的思维潜能

运用多媒体教学可以使教学内容动态化，让学生看清事物的变化，在教学中真正起到了事半功倍的作用。如“地球与宇宙”这一内容的教学，利用信息技术有利于学生理解地球与宇宙的知识，有利于培养学生的空间思维能力。而这些内容在传统教学中只能通过教师口头语言和一般的肢体语言来表达，

不能通过动画、声音等信息来刺激学生的视觉和听觉,加深学生的理解和记忆。

四、有利于拓展课堂空间,让教学更富魅力

在现代信息技术的支持下,教师可以让课堂无限拓展,使课堂教学的功能得到放大。现代教育技术的运用,让课堂与世界联系在了一起,让学生有可能进行自主探究式学习。在教学科学知识时,有很多内容可以让学生利用互联网进行自主探究。如在上小学三年级科学起始课时,同学们提出了一个自主学习的探究题:"学习科学,破除迷信:我们的生活中到底有没有鬼?"这类题目放在以前学生就只能互相争论,要么问老师,要么问家长,得到的答案五花八门,而在现代信息技术的支持下,学生可以通过网络查阅资料进行自主探究式学习。现代信息技术背景下的教学使学生的自主学习成为现实,这样就能充分发挥学生的学习主动性。

五、利用现代信息技术辅助实验教学

小学科学是一门以实验为基础的学科,不进行实验和探究就无法学到技能和知识,无法体会到探究的乐趣,也无法真正理解科学。

1. 应用现代信息技术优化实验、加深印象、激发兴趣

例如,在教学"月相变化"时,我先带领学生做实验,然后用计算机将月相变化的模拟实验展示出来,这样学生就在直观、轻松的环境中牢固地掌握知识,同时大大激发了学生学习科学的兴趣。

2. 精彩视频可以震撼学生的心灵

科学是以实验为基础的学科,直观教学在科学教学过程中举足轻重。传统的教学由于条件技术等限制往往运用演示实验、教学挂图进行日常教学。这种教学方式有很大的局限性,挂图单调,演示实验转眼即逝,不利于反复观察。大家都知道,小学生对知识的掌握大部分建立在感观的基础上,所以这些方式教学效果很一般,学生学得没劲儿。

在教科版五年级下册"反冲力"一课的教学中,我给学生播放我国长征系列火箭发射神舟飞船时的情景,在火箭向下猛烈喷火的过程中,飞船升起,教室里学生先前鸦雀无声,而后群情激奋、兴高采烈。每当此时,我和学生的心灵都会在火箭升空中受到震撼。

3. 多媒体动画变抽象为具象

小学科学知识中有些科学现象、过程难以被刚刚接触科学学科的学生想象,仅仅用语言描述很难让没有感性认识的学生在大脑中形成清晰的概念。这些知识点往往成为学生的学习难点。多媒体可以提供丰富生动的科学教学课件和形象、生动、富有趣味性的情境,能够把复杂枯燥的科学知识简单形象地展示在学生面前。

例如,在教学"食物在人体内的旅行"时,我们可以将其做成Flash动画,演示食物在人体内消化和吸收的过程,并配上童话般的故事(配音)。这大大降低了知识点的难度,又富有趣味性。光的传播、反射,声音的传播等都可以利用这种方法。将抽象的知识变得形象生动,有助于学生的理解记忆。随着科学技术的发展,把现代教育技术与实验相合,必将丰富实验的内涵,增强实验的功能,最大限度地发挥实验在教学中的作用。

六、应用现代信息技术提高课堂教学效率

兴趣是学生学习的动力。激发学生对科学课的兴趣,是教师教好这门课程的前提。现代信息技术可以激发学生的学习兴趣,营造互动的课堂氛围,让学生在愉悦的环境里学习知识,从而提高学习效率。

小学生因为年龄较小,往往注意力不集中,并存在持久性差的问题,严重影响了课堂学习的效果。因此,教师可以根据学习内容,在学生即将学习新知识时,利用多媒体化静为动的特点,激发学生积极探索新知识的心理和学习兴趣。例如,在教学"彩虹的秘密"时,课前3分钟先播放一段有关彩虹的影视片段,美丽的画面、动听的音乐、优美的解说让学生如临其境,一方面给学生以美的享受,另一方面把学生分散的注意力集中至课堂。

七、有利于突破教学重点、难点

小学生的学习具有明显的年龄特征,只有便于体验和理解的内容才容易让他们接受。这些内容既要满足他们的好奇心,又要适合他们心理、生理发展的需要,让他们能够更好地感受和体验科学。

通过大量的教学实践可以看出,现代信息技术在日常教学中的使用,改变了教师教学的观念、手段与效果,对教学的影响极其深远。将现代信息技术应用于各科教学中,弥补了传统教学的众多不足,改变了传统的知识存储、传播和

提取方式，引起了教育的新变革。

当然，利用现代信息技术手段进行教学也有其两面性，如果不加选择，一味地依赖这种手段，对学生的学习思维将产生不良的影响。一碰到问题就拿网络是问，久而久之就不会动脑思考，弱化了人的主体价值，对人的长远发展是不利的。人类社会已进入信息时代，日新月异的信息技术不断地改变着周围的世界，影响着人们的生活、工作和学习。合理利用现代信息技术，可以给小学科学教学插上飞翔的翅膀，开拓创新、与时俱进，让科学启蒙教育在孩子幼小的心灵里展翅奋飞！

浅谈小学科学教学中的板书问题及解决策略

沈思飞[①]

摘　要：板书是教师教学思路的体现，是主要教学内容的浓缩，是广大教师进行有效教学的重要组成部分。板书质量的高低有可能影响小学科学教学效果。本文通过梳理小学科学板书设计中呈现的典型问题，努力寻找问题成因，积极探寻小学科学教学板书设计的策略，从而提高小学科学教学的有效性。

关键词：板书；板书设计；小学科学课堂教学

一、板书设计的含义

1. 板书的概念

中世纪的欧洲开始使用黑板，这一做法一直沿用至今。不论是过去简易的黑板还是今天现代化的电子白板，随着现代教育事业的大力发展，应用板书和使用板书教学已经成为教育教学工作者的一项重要工作内容。自中国借鉴西方国家推行班级授课以来，板书教学应运而生，至今仍具有不可替代的作用。

商务印书馆出版的《新华词典》(2013年第4版)认为板书具有“教师讲解时在黑板上书写的授课内容”和“在黑板上写的字”两层含义。

板书到底是什么？

板书是科学教学内容的直观呈现，是教学重难点系统而准确地、简明而扼要地在黑板上的有效展示。从板书呈现的手段来讲，板书是教师教学时用粉笔写在黑板上或画在黑板上的文字、图表、图形等。

板书是直观性的教学内容，它将教学内容系统化、条理化、形象化，有助于

---

① 沈思飞，男，本科学历，五河县实验小学高级教师。主讲课程：小学科学。

突出教学重点,突破教学难点,是教学内容的又一次艺术创作,是科学性与艺术性的有机统一,合理有效地强化了课堂教学的表现力。

板书的两层含义可以简要概括为:它既是一种静态的教学信息的总称,也是一种动态的教学信息的呈现。

2. 板书的价值

板书在小学科学教学活动中具有重要意义,我们科学教育工作者对此应该有充分的认识。优美的板书是上好小学科学课的重要条件之一,它可以与师生的实验、观察、思考、讨论交流相辅相成,相得益彰。板书可以展示教学思路,使教师的课堂教学有条不紊、重难点突出。板书不仅仅局限于教师教学,在学生的学法指导上也可以发挥很大的作用。

教师通过板书展现科学教学的思路,重难点更加明白、清晰;学生透过板书能加深对科学现象的理解,掌握科学概念的重难点,培养科学思维能力、分析能力、概括综合能力。

板书对教师的教和学生的学具有同等重要的作用:

(1)板书可以长时间地向学生传递教学信息,体现科学概念形成过程,凸显教学重难点,加深学生对科学现象的理解和记忆。

(2)板书能有效唤起学生的注意。通过板书,学生可以感受到科学现象的演进过程,提高学习的积极性。

(3)板书具有示范和审美作用。小学生的模仿能力很强,教师的板书就是学生的摹本,应该具有示范和引导作用。精心设计的板书,能使学生赏心悦目、兴趣盎然,加深对知识的理解,加深记忆,是提高学生非智力因素的重要手段。

总之,板书是引人入胜的导游图,是师生教与学的桥梁,在小学科学课堂教学中可以起到至关重要的作用,甚至可以直接影响科学教育教学效果。

3. 板书设计的含义

板书设计是指教师依据具体教学内容,为达成教学目标,根据学生的认知结构,对教学活动的各方面进行分析权衡而决定呈现在黑板上的信息的过程。板书设计是课堂板书的基础,力求简练、形象、生动、多样。设计板书是教师必备的一项教学基本功。

4. 板书设计的总体要求

设计板书,应该注意以下三点:

(1)简洁明快。板书设计要求教师在教学过程中把握教学内容的整体脉络,用简单的文字、图表等信息向学生展示,并不要求教师将所有内容都通过有限的板书来呈现。

(2)重难点突出。在设计板书的过程中要注意,板书的作用是让学生记住课标最想让他们记住的东西,也就是教学内容的重难点,因此,板书设计要主次分明、重难点突出、详略得当。

(3)板书设计要讲究美观。爱美是人的天性,美观且艺术性强的板书,可以让学生赏心悦目、陶醉其中,他们在欣赏美、享受美的同时,能够进一步理解、掌握所学内容。

二、小学科学教学板书过程中存在的问题及成因分析

1. 板书教学中存在的问题

小学科学教学中,观察、实验、探究活动极为重要,但板书也是不可缺少的环节,它是激发学生兴趣、提高教育教学质量和效率的手段之一,也是衡量教师执教水平的重要量规。有些教师对板书教学的重要性认识不足,以致出现了一系列问题。

(1)新媒体的过度使用。现代教育技术的介入,致使小学科学教学中以课件替代板书者不乏其人,满堂“电灌”,黑板上一字没有,导致板书作用难以体现。无论现代教育技术如何先进,板书作用仍不可忽视,黑板是所有教具中最普遍、最直观、最灵活的辅助工具,可以与新媒体共生。

(2)创新不足,按本照抄。板书设计是一项富有创造性的活动,执教者只有对教材进行深入剖析,才能发现其核心内容。而有的教师备课不充分,只是查找各种参考资料,不问青红皂白,照抄照搬,结果板书单调呆板,没有新意,缺乏灵活性。

(3)板书内容或简略,或冗长,缺乏提炼。有些教师只板书课题,而将其他内容用课件或板贴来体现,显得极其简单;而有些教师的板书极为详尽,恨不得把所有内容都搬上黑板,密密麻麻,冗长至极。这两种板书都不能真正反映教学内容,重难点不突出,浪费了大量的教学时间,教学效率低下,得不偿失。

(4)板书设计单调乏味,切入不当。教学过程中,有些教师板书设计单调乏味,甚至不写课题,板书切入时机把握不当,有时过早,有时滞后,并且只是一味抄写板书,文字呆板,颜色单一,不善于利用颜色变化和图形、表格等多种形式来刺激学生的感官,充分调动学生的注意力。

2. 成因分析

(1)受现代教育技术的冲击,板书功能不断弱化。21世纪,科学技术飞速发展,现代化教学手段、多媒体技术广泛应用于教育教学工作,并以其特有的优势,大大地提高了各学科的教学效率,同时改变了传统教学僵化、单调的面孔。例如,这些手段、技术可以使实验教学形象化,现在不仅可以做实验,还可以借助计算机看清楚整个实验的过程,由抽象到具象,师生都能够感受到震撼的效果,以致出现课件代替板书的现象。

(2)教师没有认清板书的价值。板书的重要作用不仅仅局限于教师的“教”,其实它在学生的学法指导上也能够发挥很大的作用。当今教育理念极为关注课堂的动态生成,要求师生共同完成板书内容,激发学生的思维广度,促进学生科学精神的形成,突出学生的主体地位,提高学生的创新能力,等等。

(3)没有处理好教学内容与板书的关系。板书是具体教学内容的浓缩、精华。教学设计时要花费一定的时间设计板书。备课时要认真钻研教材,把握教学重难点,设计好教学过程中的板书以解决教学重难点问题,恰到好处地呈现板书。还应注意,要将板书与教学讲解各环节紧密结合,灵活处理板书呈现时间,以便板书更好地服务于科学教学。

(4)没有处理好内容与形式的关系。板书过程中,不能随意乱写,不注重教学内容,缺乏科学性和艺术性。板书设计应该紧扣教学内容,从课题到关键词,表达要清晰、流畅,表现形式应该多样化,线条、图表合理布局,结构新颖,给人以美的享受。因此,设计板书时,内容与形式既要相互配合,彼此关照,又要相得益彰,力争达到和谐统一。

三、小学科学教学中板书设计的策略

板书设计的成功,要在遵循板书设计要求的前提下,重视板书内容的选择、艺术构思和书写呈现技能,精心设计,实现板书设计的基本目标。

1. 掌握板书设计的一般步骤

板书设计的策略因人而异,由个人的教学风格和备课习惯决定。一般情况下,板书设计的一般步骤包括精选板书内容、构思合理形式、抓好呈现时机三个方面。

(1)精选板书内容。首先,教师要依据教学内容确定板书重点。因为板书重点和教学重点是一致的,所以板书的内容选择要紧扣教学重点。其次,板书要依据学生的年龄特点、知识结构、认知方式、学科特点等确定具体的内容。如“地球内部运动引起的地形变化”一课的教学目的是让学生了解火山和地震会改变地球表面的地形，认识到地球内部是不断运动着的，地表的地形地貌是不断变化着的，因而板书设计时就要体现这一重点，本课板书如下：

地球内部运动引起的地形变化

1. 地震和火山是地球内部运动引起的
2. 地球的内部分为地壳、地幔、地核三部分
3. 绝大部分地震发生在地壳内
4. 火山活动与地幔和地壳运动有关

(2)构思合理形式。构思板书要讲究谋篇布局，找准突破口。设计板书时，一旦找准突破口，教学内容便会脉络清晰地呈现出来。比如教学“时间在流逝”一课时，我根据教学重难点设计了这样的板书：

1. 时间在流逝 → 时刻；→ 时长
应该珍惜时间
合理利用时间

这个板书内容与形式兼具，形象地说明了时间像一把利箭，稍纵即逝，所以我们应该珍惜时间，合理利用时间，做时间的主人。

(3)抓好呈现时机。板书在动态中生成，但又是静态教学信息的展示。什么时候在黑板上呈现板书，教学设计时就应该有所安排：边书边讲，先讲后书，还是先书后讲。教师应合理关注课堂上出现的特殊情况，心中一定要统筹兼顾。

2. 小学科学课中板书设计的常见方法

板书设计是一门艺术，需要教师创造；板书设计也是一门科学，有章可循。掌握了板书设计的具体步骤，还应该注意板书设计的方式方法。

(1)提纲式板书。提纲式板书是根据教学内容，经过教师分析和综合，按顺序归纳出要点，提纲挈领地将其反映在板书里。提纲式板书条理分明、层次清楚、言简意赅、重点突出，给人以清晰完整的印象，便于学生对教材内容和知识体系的理解和记忆。

如“探索宇宙”一课的提纲式板书：

探索宇宙

1. 天体系统
2. 银河系
3. 光年
4. 河外星系
5. 恒星的一生
6. 人类对宇宙的探索

(2)表格式板书。表格式板书，形式简明、内容扼要、对比性强。运用表格式板书，学生可以亲自试验、观察与研究，主动探究学习。

如“物体在水中是沉还是浮”的表格式板书(见表1)：

表1　物体在水中是沉还是浮

	小石块	泡沫塑料块	回形针	蜡烛	带盖的空瓶	萝卜	橡皮
预测							
理由							
结果							

表格式板书可以节省大量的文字，并且简洁明了、脉络清晰、条理分明，便于学生对比分析，容易得出结论。

(3)概念图式板书。在教科版小学科学教材中，概念图包括维恩图、网状图(气泡图)等。

维恩图是一种选择、分类和比较信息的非常有用的工具，可以帮助学生记录下他们的观察结果。两个椭圆可以呈现不同的信息，比如属于木本植物的大树和属于草本植物的小草应分别记在一个椭圆里，而它们的共同特征则应记入两个椭圆的交叉部分。

“大树和小草”的板书(见图1)：

大树和小草

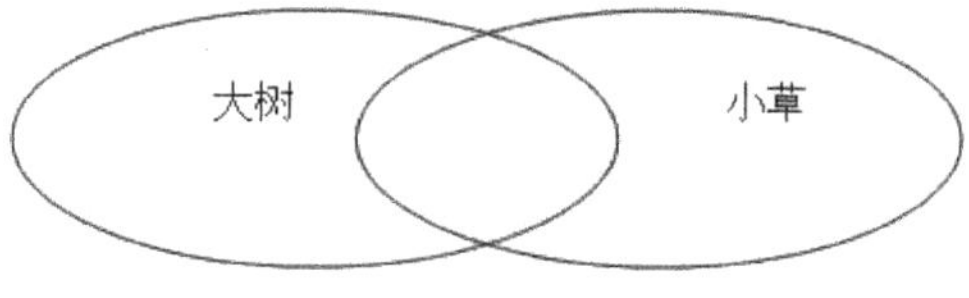

图1　板书(一)

网状图(气泡图)是概念图的一种，它的作用是用图解的形式记录与中心词有关的观点和内容，呈现中心词和与之相关内容之间的关系。使用网状图可以帮助学生围绕中心词作尽可能多的联想,由此教师可以了解到哪些知识是学生已经知道的。

如“运动起来会怎样”的板书(见图2):

运动起来会怎样

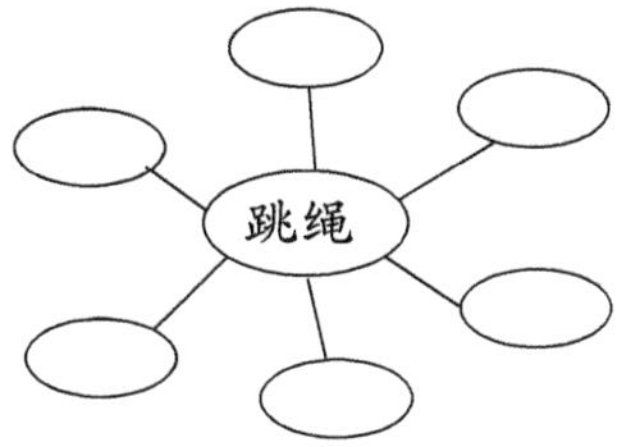

图2　板书(二)

(4)括弧式板书。括弧式板书条理清晰,关系明确,有利于学生理解和掌握知识结构,可以给学生留下深刻的印象。

如“食物中的营养”板书:

食物中的营养

蛋白质　人体的主要营养成分
脂　肪 } 人体能量的主要来源
糖　类 }
维生素 } 调节身体机能
矿物质 }
水——人体最基本的营养成分

(5)板图式板书。板图式板书既醒目,又悦目,可以帮助学生理解、巩固所学知识,加深记忆,激发创新意识。教师利用板图在不经意间突出了重点,突破了难点,让学生在接受新知识的同时学会了分析问题和解决问题的能力。

如“营养要均衡”(见图3):

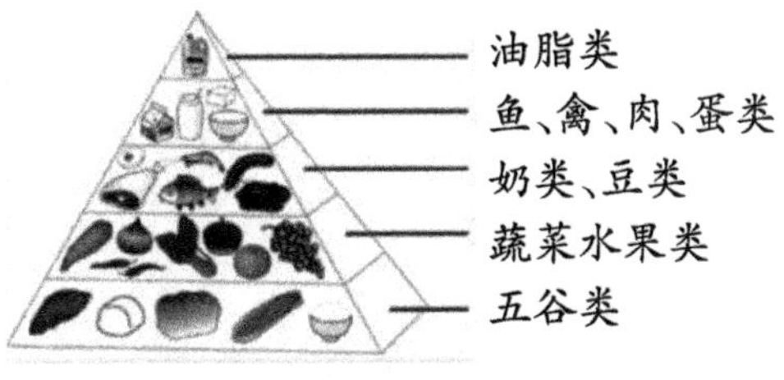

图3　营养要均衡(板书示意)

(6)流程式板书。以教材提供的线索为主,反映教学的主要内容,把教材的梗概一目了然地展现在学生面前,使学生对它的全貌有所了解。这种板书指导

性强,对于复杂的过程能起到化繁为简的作用,便于记忆和回忆。如四年级下册"食物在人体内的旅行"的板书:

食物在人体内的旅行

口腔→食道→胃→小肠→大肠→肛门

……

一支支粉笔在黑板上飞舞,舞出的是师生之间的心灵交汇;教师们异彩纷呈的字体,激发起无数学生灵动的思维。

总之,板书设计是一门大学问,板书设计的好坏直接影响教学质量。教学艺术的形成就是教师对教学技能的不断实践和总结。教师在平时备课中应重视板书设计,在教学过程中要经常总结板书设计的得失,要在学习他人经验的基础上进行理性思考,找出解决问题的策略,并充分了解学生、了解学情、吃透教材,注重板书的内容选择、艺术构思和书写呈现时机,精心预设,努力实现板书教学的最大效益。

例谈小学科学课堂上的美育教育

唐 梅[①]

摘 要:"培养德智体美全面发展的社会主义事业建设者和接班人"是我国教育方针的组成部分,如何在小学科学的课堂教学中渗透美育教育是当前小学科学学科教学面临的一个难题。对此本文提供了五点建议:创设情境,引导学生发现美;诗情画意,诱导学生感受美;设置活动,指导学生创造美;真实事例,教导学生认识人格美;情感教育,启迪学生学习心灵美。

关键词:美育教育;小学科学;课堂教学

美育是以培养学生感受、表现、鉴赏、创造美的能力,从而促进学生追求人生的情趣与理想境界等为目标的教育。那么,如何把这些内容贯穿于日常的科学教学中,始终而有效地实施小学科学教学中的美育?我认为,必须依据科学学科教学的特征,遵循儿童的心理规律,在发掘、把握小学科学教学中美育内容的基础上,将美育渗透在小学科学教学环节中。

如何在科学课堂上进行美育教育呢?可以从以下几个方面着手。

一、创设情境,引导学生发现美

法国艺术大师罗丹曾经说过:"美是到处都有的,对于我们的眼睛来说,不是缺少美,而是缺少发现。"大自然是一个千姿百态、绚丽多彩的世界。在小学科学教学中,有河流山川的壮丽美,有花草树木的生机美,也有具有民族特色的建筑美,等等。但是,学生只在教室里学习教材内容是枯燥无味的,因此,要常常把学生"带出去",让学生真正融入大自然,真正目睹大自然的美景,使其受到

---

① 唐梅,女,本科学历,合肥市桂花园学校(东区)一级教师,高新区小学科学兼职教研员。主讲课程:小学科学。

美的熏陶。当然，这里的“带出去”，不一定要走出教室、走出学校，可以给学生展示一些图片资料和视频资料。例如，在教授教科版四年级下册“各种各样的花”一课时，首先让学生看一段多种花儿绽放瞬间的视频，让学生对不同种类的花儿有一定的感性认识，然后组织学生画出自己喜欢的花的结构，在班级进行展示，在不同之中寻找相同之处，学习花的结构。这样学生能在感受自然美的同时，发现花中的规律，掌握有关知识。再例如，在教科版小学科学五年纪上册“光和影”一课中，出示自然界中各种奇妙美丽的光的图片，鼓励学生积极主动发现光的美丽之处，再结合老师生动、富有感染力的语言讲解，使学生从内心深处发出对光、对自然美的赞叹。

二、诗情画意，诱导学生感受美

教科版小学科学教材中每一个单元的引导页都是图文并茂的，教师可以结合每一节课的实际情况，配一些音乐、视频、诗歌、谜语等，让科学课变得诗情画意起来。如三年级《动物的生命周期》单元，在养蚕活动的总结课上，出示李商隐的《无题》，让学生欣赏诗中的“春蚕到死丝方尽，蜡炬成灰泪始干”一句，感受蚕的无私奉献之美。此时，再让学生联想生活中像“春蚕”一样无私奉献的人群，进而感受他们工作画面中的和谐之美，敲击、震撼学生的心灵。当然最后也要点出春蚕化蛹丝方尽，此时蚕的生命并没有结束，教给学生科学知识。在学习六年级下册《宇宙》单元时，先展示一段有关宇宙探索的短视频，然后提问：“宇宙是什么样子的？究竟有多大？”学生的探究兴趣被激发出来，整个课堂的探究气氛也被调动起来了。此时，再搭配一首《地有多厚，天有多高》的MV视频，歌词“只要你爱想、爱问、爱动脑，天地间奇妙的问题你全明了”为我们指明了解决问题的方向。我的每一届学生都会唱这首歌，这是非常贴近科学课的一首歌，深受我和孩子们的喜爱。

三、设置活动，指导学生创造美

在平时的教学中，要充分利用多媒体的作用，通过图片、视频等，将抽象难懂的知识化为直观的场景展示在学生的面前，配上合适的背景音乐，让学生能够直面那些优美的画面，在充分感受科学的神奇魅力的同时，形成一定的审美心理，最终在长期的渲染下，慢慢地尝试创造美的活动。例如，在教学六年级下册“减少丢弃及重新使用”一课时，可以让学生欣赏废旧物品变身工艺品的图片，看着平时被自己随手丢弃的饮料瓶子的大变身，同学们非常吃惊。然后趁热打铁，布置开展废旧物品再利用的比赛活动，在下一次的科学课上进行展示。在展示台上，学生展示了亲手制作的花盆、笔筒、鱼缸等作品，大家欣赏到了自己创造的美。在互相评价中，一些同学的创作热情高涨，下一节课仍然有同学上交修改的作品和新创作的作品。再如，在学习“植物的叶”之后，教师可以展示一些树叶贴画作品，再和孩子们一起用树叶作画，学生在作画过程中，用颜色、形态各异的树叶，粘贴出各种各样的画面，感受着树叶的美和神奇魅力。 所有这些都表明，一个好的教学活动可以同时达成多个目标，不仅能使学生感受美，还能启发学生发现美和创造美。

四、真实事例，教导学生认识人格美

历史上涌现出了无数著名的科学家，他们都是后人的楷模。因此，在教学中，可以事先把科学家的光辉形象与事迹做成课件再现在学生的眼前，让他们的光辉形象鼓舞和激励学生为祖国的社会主义现代化建设而努力学习。用实例来让学生分辨真、善、美与假、恶、丑，在现实生活中，要向着真、善、美的方向前行。教育的首要目的就是使所有学生都拥有健全的人格，“先成人，再成才”一直都是我所坚奉的教育理念。比如，四年级下册“点亮小灯泡”一课的教学，就不得不提起爱迪生，经过1500多次的失败之后，他依然没有气馁，最终发明了电灯。这就是科学家的精神。

五、情感教育，启迪学生学习心灵美

所有的外在美，最终都将指向内在心灵美。只有发自内心的美才是真正的美。爱护小动物、爱护花草、爱护环境、尊敬师长、敬老爱幼、和同学和睦相处等，这些本就是每个人应该做的事情，不应该带有半点目的性，只是发自内心的冲动，能做到这些，生活中的画面必将更加美丽、美好。例如，“植物怎样传播种子”一课中，学生观察成熟的榆、蒲公英、苍耳、鬼针草和蒺藜的果实和种子有什么共同的特点。在观察的基础上，我提出问题：“如果一株植物的种子成熟后都落在自己的身边，对它后代的成长有什么影响？”几名学生的回答都不准确，此时，我并没有急于说出自己的看法，而是让学生进行小组讨论，并适时给予引导，最终得出结论。这为学生进一步学习种子的传播打下了基础，也让孩子们感受到植物妈妈的用心之处，感受到大自然中到处都充满美的画面。

此外，在学习动物的生殖时，和同学们分享母亲怀孕和分娩的艰辛，父母养育儿女的辛苦不易，让他们从心里感受父爱与母爱的伟大，心存感恩之情，进而对自己的爸爸、妈妈多一份理解，多一份关心。

总之，在小学科学教学中，教师应注重引导、激励、诱发学生在科学探究中增强自身体验，在自然科学知识传授的同时渗透美育，不仅可以引起学生对美的追求，而且能帮助学生增长知识、增强对大自然的了解，从而形成性情之美。当然，就目前来说，美育之花的种子并没有在所有的科学课堂上生根、发芽，即使在我自己的课堂上，也不能说枝繁叶茂，但是，我看到了一些星星点点的美育之花已经在含苞待放了。我相信，通过努力，会有更多的花儿开放，如果有更多的老师加入进来，相信不久之后，美育之花将开遍小学科学课堂的每一个角落，进而结出丰硕的成果。

信息技术助力小学科学教学

吴艳东[①]

摘　要：多媒体教学可以使抽象、深奥的科学知识具体化、形象化、趣味化，从而激发学生对科学的兴趣，使他们主动观察，探索思考；能够拓展学生的知识视野，发挥学生的主体地位，提高课堂教学的丰富性、趣味性和知识性。

关键词：信息技术；小学科学教学；兴趣；优化

小学科学倡导让学生在探索中学习，保持或发展儿童与生俱来的探究兴趣。在小学科学课堂教学中利用好现代化教学手段，化抽象为具体，易于小学生理解和掌握科学知识，实现科学课的教学目标。

一、运用信息技术激发学习兴趣

在小学科学教学中，科学实验让学生动手操作，让学生看到自己的实验结果，大大激发了学生的学习兴趣。但在实际教学中，有时实验会受到实验仪器、演示可见度等多方面因素的限制，同时枯燥的讲解会让小学生失去学习科学的兴趣。比如，在讲"一年中四季的变化"和"食物在人体内的旅行"等教学内容时，利用现代信息技术教学，可以形象直观地展示一年中春、夏、秋、冬四个季节交替变化，使小学生很容易梳理出一年中四季交替变化的规律；通过多媒体课件的动画演示，让学生亲眼看到食物在人身体里的旅行过程，从而使枯燥抽象的科学知识变得生动具体，具有很强的真实感和表现力。这就使学生在轻松愉悦的氛围下获取更多的科学知识，从而真正实现教学中教师是指导者，学生是主体的角色转变。

---

① 吴艳东，男，本科学历，亳州市谯城区魏岗镇中心小学教师。主讲课程：小学科学，小学语文。

二、运用信息技术优化科学课堂

运用信息技术,可以把科学课教学中的实验、操作以直观、形象、生动的形式呈现在学生面前,不仅能克服实验条件的限制,还能提高实验的演示可见度,增强实验的有效性,丰富学生的实验知识,把科学实验的作用最大限度地发挥出来,从而达到优化科学实验的目的。如在教学"显微镜的使用"这一课时,教学目标就是要求学生会使用显微镜,并学会用显微镜进行观察实验。以前教学,我用的是边演示边讲解的方法,费劲且效果不明显,小学生根本记不住那么多注意事项,实验中还出现这样、那样的操作错误,有的错误操作习惯一旦养成就很难纠正。于是,我便用多媒体做一个课件把显微镜的正确使用方法展示出来,并配以简单的动画来提醒学生,帮助他们记忆,效果很好。这样学生就很顺利地掌握了显微镜的使用方法,并学会用显微镜进行观察实验,真可谓事半功倍。

三、运用信息技术突出教学重点

在科学教学中教师经常会有这样一些感受:想让学生掌握较多的科学知识,但在课堂上抓不住重点,学生听得昏昏欲睡,教学效果可想而知。运用信息技术可以有效改善这一状况。例如,学习日食、月食这部分内容时,恰当地运用多媒体课件把日食、月食的形成过程演示给学生看,并且在演示到日食、月食形成的节点时定格下来,让学生有足够的时间去观察和理解,就可以省去老师大量的讲解。之后学生再观察日食和月食教具演示,就能真正地理解并掌握相关的科学知识。

四、运用信息技术再现和补充知识

教师应合理运用信息技术,向学生展示更加生动、富有时代特征的科学资料,再现和补充科学知识。比如,关于宇宙空间的教学内容就可以借助多媒体呈现出来,让学生对地球和其他星球的运动有更加直观深刻的认识,这一点教师难以用语言来讲得明明白白。科学教材中还有很多无法用真实实验完成和展现的内容,如食物变质,这时就可以用多媒体动画来呈现食物变质的过程,让学生清清楚楚地看到食物在空气中慢慢变质,这一科学现象学生在生活中不易观察到,信息技术可以有效地弥补这一缺陷。

总之,多媒体教学可以使抽象、深奥的科学知识具体化、形象化、趣味化,从而激发小学生对科学知识探索的兴趣,激励他们主动观察,探究思考。所以说,合理地使用多媒体教学设备,能教得轻松、学得愉快,大大提高小学科学课堂的教学效果。

体验式教学在小学科学教学中的应用
——以“热是怎样传递的”一课为例

武红卫[①]

摘　要:本文针对小学科学教学中诸多学生不易理解的科学概念以及小学生的认知水平,提出采用体验式教学方式,让学生参与到教学当中,直接体验行动,内化实践感受,从而认识科学概念,理解科学知识,掌握科学规律。

关键词:小学科学课程;体验式教学;热传递

在日常生活中,人们常把外界事物、情境所引起的内心感受、体会或亲身经历称为“体验”,在课堂教学中运用这种方式方法进行教学就称为“体验式教学”。体验式教学模式要求教师根据自己的教学内容和目标,科学有效地创设教学情境和教学活动,让学生亲身去体验,在体验中感知、领悟知识,并在实践中得到证实。

体验式教学的各个环节都突出了学生“体验”的地位和作用。在体验式教学过程中,教师尽可能为学生提供可听、可看、可触摸、可经历、可操作的机会,运用多种体验方式尽可能把抽象的知识还原或转换成事实,让学生在教师引导下主动参与,积极探索,获得直接体验与真切体会,从而知晓科学概念,理解科学知识,身体力行地学习。下面就以“热是怎样传导的”一课为例,浅谈体验式教学在小学科学教学中的应用。

一、记忆体验,诱发联想导入新课

本节课的重点是让学生认识并理解科学概念热传导以及热传导的过程和方向。根据学生已有的生活经验和前面所学科学的知识基础,我在教学中设计

---

① 武红卫,女,本科学历,安庆市石化第三小学高级教师,副校长。主讲课程:小学科学。

了如下的导入，以记忆体验开启本节课学习之旅。

教师：上节课的学习中，我们用酒精灯给金属物体加热，金属物体会很快地热起来，甚至很快就变得烫手，不可触摸，请解释原因。

学生A：因为酒精灯火焰的热传给了金属物体。

教师：回答正确！

教师：请同学们回想一下：当妈妈做了一盆鲜美可口的热汤或香气扑鼻的火锅置于餐桌时，你会直接抓住放入盆中的不锈钢汤勺的勺柄来舀汤或捞起食物吗？

学生（齐）：不会，因为勺柄会烫手！

教师：勺柄为什么会烫手呢？并没有给勺柄加热呀。

学生B：虽然没有直接给勺柄加热，但是勺子的勺部浸在热汤锅内，热汤的能量传到勺部，然后又从勺部传到了勺柄，所以勺柄会很烫。

教师：回答得非常好！这正是我们今天将要学习研究的内容——“热是怎样传递的”。

点评：采用跟生活相关的就餐情景，利用生活化场景，使学生有身临其境的感觉，借助学生的记忆体验，引导学生利用生活经验、凭借记忆感知热的传递，通过记忆诱发联想，回归生活学习科学，自然亲切地引出问题、导入新课。

二、感官体验，初步感知热的传递

教师：刚才大家是凭记忆和经验来推测热的传递，现在我们通过实验来感知热的传递吧。

【体验案例1】

出示一把金属长柄勺和一烧杯热水，模拟生活中就餐情景，让学生用手触摸，通过感官体验初步感知热水是如何把热传给勺部及勺柄的，然后通过交流讨论，得出热是怎样传递的，初步猜测热是从热水传到勺部，再由下至中、向上传的。

【体验案例2】

出示酒精灯、铁架台和细金属丝，利用酒精灯外焰对细铁丝的某部位加热。

（1）让学生观察细金属丝被加热部位的颜色变化，然后交流讨论，分析原因，讨论结果由小组代表在课堂上汇报。

观察结果：随着酒精灯加热的时间延长，酒精灯外焰对准的部位逐渐变红，然后变红的部位增长。

(2)让学生戴棉质劳保手套,小心触摸细金属丝,并逐渐向加热部位移动触摸,然后从另一端重新体验。

体验结果:从末端开始,隔着棉质劳保手套觉得细金属丝由温至烫,无法移动至加热部位。

根据以上两个案例,引导学生分析讨论并猜想热是如何传递的。

点评:感官体验式教学是教师利用一系列课堂活动,使学生通过眼、耳、鼻、手等感觉器官体会科学概念的过程。运用感官体验式教学,教师要善于创设适当情景,引导学生感受、交流、分享并进行适当启迪,促进学生自我感悟及体验,并内化体验,最终达到感知科学概念。

三、活动体验,正确认识热的传递

教师:在刚才的实验中,热传递的过程是同学们通过观察和触摸来进行推测和感知的,那么,怎样才能直接观察到热传递的过程,并证明你们的推测是否正确呢?

学生:做实验呀!

教师:对! 这个实验怎么做呢? 现在,老师为每组准备了许多材料:试管夹、火柴、蜡烛、凡士林、金属丝。你们能用这些材料设计一个实验方案来证明热传递的过程吗?

教师引导学生按以下步骤进行:

(1)各小组讨论并汇报设计的实验方案,教师巡视并适度指导。

(2)教师利用手机拍摄各小组的实验设计方案,利用移动数据即时传输至教室电脑,再通过多媒体展示各小组的设计,对学生的设计方案进行点评,对新颖的设计方案要予以肯定和鼓励。

(3)教师利用课前准备好的幻灯片介绍教材提供的实验操作过程(见图1),并提示实验中应注意的事项及要求。

(4)学生进行实验(鼓励学生按自己设计的思路进行实验),并填写实验报告单。

(5)学生汇报实验现象:火柴是怎样落下来的? 实验说明了什么?

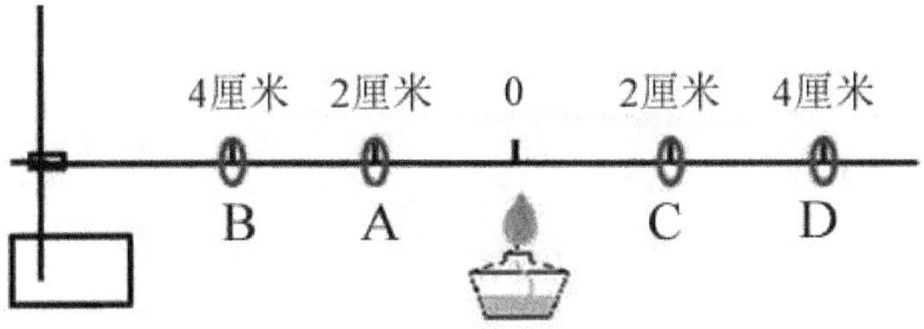

图1　热传导实验操作示意

学生实验结论：在一端加热，热从加热端向另一端传递；在中间加热，热从加热部位向两侧传递。

教师根据学生汇报的结果，引导学生进行总结，最后得出结论：无论是在一端加热，还是在中间加热，热在金属丝上的传递都是有规律的，即从较热的部位向较冷的部位传递。

点评：活动体验式教学是教师组织一系列的课堂活动，使学生在教师指导、与同学互动或独立完成任务等多种形式中，认识科学概念，掌握科学知识，提升科学思维的过程。

四、探究体验，深层理解热的传递

教师：同学们，在刚才的实验中，我们发现了热在细金属丝中的传递特点。如果将细金属丝换作金属片，热又会如何传递呢？同学们能否设计实验进一步探究呢？

学生：能！

教师：同学们信心很足，值得表扬！

教师先引导学生类比热在细金属丝中的传递特点，推测热在金属片中是怎样传递的，然后启迪学生思考：怎样让金属片上的热传递可以被“看见”呢？同前面教学过程相似，先小组设计实验方案，交流展示，然后进行实验并观察，最后汇报实验现象，填写实验报告单。

学生实验结论：从金属片中间加热，热从中间向四周传递；从金属片边缘位置加热，热从加热部位向金属片其他部位传递。教师根据学生汇报的结果，引导学生进行总结，最后得出结论：无论是在金属片的中间加热，还是在金属片的某一边缘位置加热，热在金属片上的传递都是有规律的，即从较热的部位向较冷的部位传递。

最后，教师引导学生将生活经验、记忆体验、感官体验以及活动体验等联系在一起，对热的传递规律进行较高层次的总结认识。

点评：探究体验是高层次的体验活动，它促使学生同时运用记忆体验、感官体验和活动体验，从行动、思想和情感上直接参与到活动中来，切身体验并理解科学概念和科学规律，构建科学知识体系。

总之，采用体验式教学既能让学生动眼、动口、动手、动脑，又能让学生自主设计、实际操作，获得多方位体验，达到多角度认识，再加之教师恰当的引导和启迪，可令学生对科学的认识和理解沦肌浃髓，也可令科学教学事半功倍。

把握问题特点，引领有效探究

——谈教师课堂提问的有效性

许守有[1]

摘　要：在小学科学课堂教学中，提问是教师引导学生认识各种事物，启发学生积极思维、主动探究、建构科学概念，促进学生能力形成的一种基本方法。那么，教师在设计教学预案时如何预设问题，在课堂上如何巧妙提问，怎样引导学生主动发现问题、提出问题显得至关重要。

关键词：小学科学教学；课堂提问；有效教学

问题是探究的开始。随着课程改革的推广和深入，教师“满堂灌”的现象逐渐消失，而随之出现的却是“满堂问、满堂答”。有研究表明，课堂上有时多达80%的时间被用于提问和回答，每5个问题中有3个是回忆知识点，1个是课堂管理，1个是要求更高层次的思维活动。如何克服这种回忆型问题和思考型问题之间的不平衡，从而提出具有价值的、富有挑战性的教学问题，以激活学生的思维呢？

一、问题预设要明确目标

一般而言，有价值的、富有挑战性的问题包括理解型、应用型、分析型、综合型、探询型、激趣型等类型。这些问题应具有联系性紧、趣味性浓、活动性强、探究性高、穿透力大、覆盖面广等特点，通常是：

（1）能激发经验的问题。如教学“斜面”时，出现搬运工人的工作画面后问：你能想出办法把货物比较轻松地搬上车吗？

（2）能激起欲望的问题。如教学“磁性”时，教师用磁铁变魔术导入课程，把

① 许守有，男，大专学历，绩溪县华阳镇中心小学高级教师，副校长。主讲课程：小学科学。

脚底嵌一片铁片的小纸人放在讲台上，用一块大磁铁放在讲台桌面下面，移动磁铁，小纸人就跟着跳舞。为什么老师喊停小纸人就停止，老师喊跳小纸人就跳舞呢？

(3)能打开联想的问题。教学“平面镜”时提问：你能用多块平面镜制作一个看得更远或从上面(下面)可以看到下面(上面)的镜子吗？眼睛与照相机有什么关系？

(4)能引发争辩的问题。在教学“杠杆”时提问：为什么支点的位置不同杠杆的作用就不同呢？

(5)能点燃智慧火花的问题。磁铁的性质在生活实践中有哪些应用？在家庭用具中哪些地方可以找到磁铁？

(6)能引起多元答案的问题。如教学“植物与环境”时，问学校周围的树为什么有的长得茂盛、有的枯萎、有的死亡了呢？鸡瘟病流行时为什么张三家的鸡死了，而邻居李四家的鸡没有死呢？

(7)能带出更多问题的问题。如你知道我国有多少种珍稀动植物吗？

二、问题设计要清晰有层次

由于认知水平、知识储备、思维发展以及遗传原因等因素的影响，无论是不同学段的学生还是同一班级的学生，他们的学习能力都不尽相同。因此，教师的问题设计一定要有层次性、梯度性、多样性，满足不同层次学生的学习需要，使优等生在“吃得饱”的同时感觉富有挑战，获得成功的喜悦，学困生在“吃得了”的同时充满信心，体验学习的快乐。教师可以考虑学生的心理和年龄特点，兼顾各类学生，根据教学内容设计有梯度的问题，根据不同学生设计有层次的问题，根据不同学段的学生设计不同难度的问题，以此最大限度地满足不同学生的学习需要。

(1)根据教学内容设计有梯度的问题。如在教学搭支架的活动课时，我先后设计了三个问题：①怎样设计一个支架？②不要用手转动，怎样利用提供的纸杯，使支架利用风转动起来？③利用提供的材料，怎样使支架能独立站稳并转动？

(2)根据班级学生的不同水平设计有层次性的问题。在教学“沉与浮”一课时，由于学生的认知程度不同，我将学生分成甲、乙两组。提供给甲组的材料有胡萝卜、橡皮、图钉、泡沫块、牙签、回形针，请学生思考：①哪些物品会沉，哪些物品会浮?②同样的物品在什么条件下沉,什么条件下浮?(提供的物品中胡萝卜和牙签是比较特殊的)③如何使沉的物体浮起来?提供给乙组的材料有橡皮、图钉、海绵、螺帽、回形针。请学生先猜测什么物品会沉,什么物品会浮?尤其是海绵,为什么一开始是浮,过一段时间又沉了呢?然后进行实验论证。

再如,在教学"热传导"时,通过大家交流讨论得出实验方案,甲组同学只按方案进行实验,乙组同学先按方案完成实验,再接着思考:假如我们实验的器材不是细铁丝,而是一个圆铁片或方铁片,在铁片的中间加热,那么热又是怎样传导的呢?它的传播方向怎样?

(3)针对不同学段的学生设计难度不同的问题。小学生由于年龄不同,认识不一样,思维发展水平也不一致,对他们所提的问题也应有所区别。对低年级学生,要能从具体现象与事物的观察、比较中提出他们感兴趣的问题;对中年级学生,要能从具体现象与事物的观察、比较中提出可探究的问题;对高年级学生,要能从事物的结构、功能、变化等角度提出可探究的问题。例如,观察校园里的植物活动课,对低年级学生提的问题是:你看到了什么?用你喜欢的方式记录下来。对中年级学生提的问题是:你看到了什么?它们长势一样吗?你觉得它们的生长好坏跟什么因素有关?对高年级学生提的问题是:你看到了什么?有什么想法和建议?

三、问题提出要把握时机

一个好的问题可以让学生学得更好、更深刻。在设计科学课问题时,教师要根据教学的内容和形式、学生的实际和需要以及具体的课堂环境,以有效性作为问题的价值导向,课前反复推敲,课中把握时机,发挥问题的有效导向作用。

(1)异处问。①同类物体比较时设问。如教学"热传导"一课时,让学生观察一只瓷杯和一只不锈钢杯(把手是胶木的)。当学生发现瓷杯整体都是用瓷做的,而不锈钢杯把手是用胶木做的时候,教师提出问题:为什么不锈钢杯把手用胶木做?这样做有什么好处?从这件事中你知道了什么?学生带着问题进行思考、探究,寻找答案。②同一物体不同地方比较时设问。如教学"热传导"时,把铝勺放在盛有热水的烧杯中,为什么勺柄上部比下部凉?③不同物体比较时设问。如教学"热胀冷缩(一)"时,按常规用水泥钢筋浇注的物体要求结实牢固,不应有空隙裂缝,而水泥马路好好的为什么要割成一块块的?

异处问还有一种情况。例如当学生说出“太阳是蓝色的”时，你千万别批评他是色盲，而是问他：“为什么说太阳是蓝色的？你是怎么知道太阳是蓝色的？”孩子会说：从家里的有色玻璃看出去，太阳就是蓝色的。或是夏天的时候，太阳要是蓝色的，人们该有多清爽啊！你说孩子的话没道理吗？这种学生突破定势，打破常规，标新立异。对学生别出心裁的想法、违背常规的解答、标新立异的构思要多问个为什么，多问一句“你是怎么想的”。教师要学会宽容，允许学生说错；教师要学会等待，允许学生思考；教师要学会微笑，鼓励学生说其所思、言其所想。

(2)想时问。这里所说的“想”即想象，是人脑对已有表象进行加工改造，从而创造新形象的心理。丰富的想象是创新的翅膀，无论是再造想象还是创造想象，对培养学生的创新素质都十分有益。牛顿说过，没有大胆的想象就没有伟大的发现。想象是创新的前提，在学生想象时教师的提问可以点燃创新智慧的火花。如教学“生物的启示”一课时，学生知道了人类许多发明得益于自然界生物的启示，思维异常活跃，想象十分丰富。若此时教师设问：你能根据生物的特殊功能创造一个小发明吗？学生必定跃跃欲试，动手动脑，即使不成功也有很大收获！

(3)疑时问。学起于思，思缘于疑。心理学家研究表明，当学生内心产生疑问和愤悱时，探知欲尤为强烈。我在“磁铁的性质”“植物与环境”等课时中，有意识地创设了能激起学生探究欲望的问题情境，让学生带着疑问走进学习，开始探究。

(4)做中问。即在实验操作过程中提出问题，帮助学生分析实验现象，建立现象和结果之间的联系，降低归纳实验结论时的难度。如做“固体热胀冷缩”实验时提出问题：铜球加热后如果还能穿过铁环说明了什么？如果不能穿过铁环又说明了什么？再如做“热传导”方向实验时，教师提出问题：为什么靠近酒精灯的火柴棒先落地而远离酒精灯的火柴棒后落地？

美国教育家卡尔汉曾说过，课堂教学中提问是有效教学的核心，是教师促进学生思维、评价教学效果、推动学生实现预定学习目标的基本手段。只要教师注意问题的有效性，善于提出有价值的、富有挑战性的问题，课堂教学一定会取得显著的成绩。

浅谈培养小学生科学交流能力

张敬桥[①]

摘　要：培养小学生科学交流能力方法不一，关键要注意两点：一是口头激励、恰当评价，激发和保持交流的兴趣；二是多样化引导，逐步提高学生科学交流的能力。

关键词：小学科学；交流能力

《义务教育小学科学课程标准》明确指出：小学的科学教育要以探究为核心。然而，在实际的科学课教学中，往往重探究结果、轻探究过程，重动手能力、轻探究中的交流能力，这是不可取的。小学生科学交流能力是指在科学探究中，注意倾听他人的意见以及准确表达自己意见的能力，也就是与他人沟通的能力。要知道，只有学生学会交流、乐于交流、善于交流，才会有更有效的合作，才能有更具实效的科学探究。

下面从两个方面来阐述如何在小学科学教学中培养学生的科学交流能力。

一、口头激励、恰当评价，激发和保持学生交流的兴趣

我注意到一种现象：当教师提出问题时，低年级学生喜欢举手，喜欢表达，不论对错，直抒胸臆，但缺少倾听；而高年级的学生则喜欢左右观望，迟迟不愿举手表达，更多的则是关注别人的回答。透过这种现象，我们可以得出这样的结论：人都有强烈的表现欲，都有强烈的自尊心，如果在交流的时候，自己的想法得不到他人适时的认可和赞赏，自尊心就会受到打击，以至于逐渐地把表达的欲望封闭起来。因此，教学中应鼓励学生注意倾听他人的想法，更应鼓励学

---

① 张敬桥，男，专科学历，凤阳县红心镇中心小学高级教师。主讲课程：小学数学，小学科学。

生表达自己的看法。针对学生的回答，教师可以从不同侧面给予评价。回答正确的，我这样评价：“你讲得真棒。”对于偶尔举手发言的，我这样评价：“你说出了自己的看法，你有自己的想法。”对于突发奇想式的回答，我也先给予肯定，再这样鼓励：“你的想象真丰富，希望你能成为一个发明家。”这样正面的、积极的激励和评价，会最大限度地激发和保持学生科学交流的兴趣。

例如，在教学三年级“各种各样的树叶”一课时，我提前三天让学生观察自己能接触到的树叶，并完成课前学习任务单。任务单的内容有：这是什么树的叶子？什么颜色？什么形状？像什么？分别有何用处？等等。有什么疑问可以让家长帮助查阅资料。课堂上，我让学生把自己搜集到的树叶全部展示出来，然后要求：“前后四个同学为一组，把你们的树叶放在一起，你们能不能对这些树叶做一个简单的分类？为什么要这样分类？有什么新的发现呢？”刚说完，同学们的积极性就调动起来了，赶紧凑到一块儿激烈地讨论起来。大约三分钟后，学生甲汇报说：“我们小组共收集到25片树叶，来自6种不同的树。”我说：“你们小组真厉害，能收集到这么多的树叶，还能分辨出是6种树的叶子，能说说是哪6种树吗？”接着，学生乙说：“我们组的树叶又多又好看，它们的颜色有绿的、黄绿相间的、红的、紫红的、黄的，好多种呢！”我评价他们说：“你们组也很棒，这些树叶还真的是五颜六色呢，真好看，说明你们这个小组的同学都有一双发现美的眼睛！”接下来的交流中，各组的学生争先恐后、各抒己见。每个学生的发言我都会认真倾听并作积极的评价。“我们组有4片树叶像扇子，还有9片像手掌，这种树叶数量最多了。”“松树的叶子像针，四季常青，有一层厚厚的蜡质，能有效地阻止水分的流失。”“不对，松树的叶子不是四季常青，也有枯黄的叶子。”……每个学生都在认真倾听别人的发言，甚至还就别人的发言发表了自己的看法。

鼓励学生发言，教师应以真诚之心待之，切不可敷衍了事，否则，久而久之，学生会失去交流的兴趣。对于学生的赞美应发之于爱生之心，动之以关爱之情，要知道，教师的一句赞美、一个诚挚的微笑，可以让学生开心一天，甚至终生难忘。

二、多样化引导，不断提高学生的交流能力

小学生的年龄特点决定了小学生在交流时不知道从何说起，或者眉毛胡子一把抓，想到什么就说什么，缺乏条理或者表述不够准确。为了进一步提高学

生的交流能力,教师应善于根据需要,予以多样化的引导。

1. 以问促说,由易到难

在科学教学中,教师应善于设疑,引导学生讲出自己的看法,这样做可以加深学生对科学知识的理解,同时在学生回答的过程中,互相激励,互相补充,集思广益,使交流更完善。

例如,在教学“声音”时,我先这样问:“音叉在敲击发出声音时,你看到了什么?用手指轻轻地触摸能感觉到什么?”“当我们说话或唱歌时,嗓子会有什么样的感觉?”“是不是只要振动了就能发出声音?举个例子试试。”“声音究竟是怎样产生的呢?谁能说一说?”随着问题的逐层深入,学生会在听取别人讲述观点的同时,及时地表达出自己的想法,正是这种交流让学生经历像科学家那样的探究。应当注意的是:设疑时,由易到难,逐层提高问题的难度,不要让学生一开始就讲不出来,而应该“跳一跳能摘到桃子”。

2. 直观演示,由直观到抽象

科学的本质是抽象的,而小学生科学素养的发展很大程度上依赖于感性认识。教学时可借助直观演示,让学生讲一讲演示留给自己的印象,使学生有可讲的现象、感受,并借助感性轨迹,理顺理性思维的路线。例如:在教学“马铃薯沉浮”实验时,学生对马铃薯沉浮现象不甚理解。此时,我像魔术师一样说了句:“接下来是见证奇迹的时刻!”然后做个直观的演示。那么,同样的马铃薯、同样的容器、同样透明的液体,为什么有沉有浮呢?然后,我请两位学生到台前再演示一下,接着,让学生看一看、闻一闻、尝一尝,最后让学生讲一讲,每个容器里是一样的液体吗?什么样的液体里马铃薯浮起来了?为什么呢?请台上的学生讲讲自己的看法,之后再请台下的学生说说自己的看法,交流由此展开,科学交流的能力就在这样直观演示的土壤中生根、发芽。

3. 搭建平台,展示自己的所学

在教学中,应积极开展丰富多彩的教学活动,给学生搭建起展示自己的平台。小学生都有争强好胜的心理,教师可以利用学生的这种心理,结合教学内容,引导学生进行探究比赛,激励学生上台讲出自己的发现、想法和思路。例如,我在教“我们知道的磁铁”时,让学生在家长的帮助下查找生活中什么地方有磁铁?有哪些形状的磁铁?这些磁铁有什么用途?你还发现磁铁有哪些好玩的玩法?然后让他们到讲台上来玩一玩、说一说。学生在这样的课堂上,既学到了科学知识,又培养了交流能力。

4. 翻转课堂，碰撞出思维的火花

翻转课堂是一种新颖而有效的教学方法。课堂上学生不再等着被灌输知识，而是需要参与各种有意思的教学活动，而这些教学活动的前提是学生必须课前完成相应的知识储备，课中才能留出大量时间探讨问题。这种有趣的课堂，能够培养学生的思维能力，有效提高学生的科学交流能力。

例如，在教学“探索宇宙”时，我提前一天让学生观看相关的视频，并试着做学习任务单，遇到问题时可以设法去解决。上课开始的前五分钟，我简单地对“光年”“恒星”“星云”等科学概念做了介绍，接下来就是学生对感兴趣的或者没有解决的问题进行探究和交流了。“夜空里，亮闪闪的星星到底是什么呢？”“银河系像什么？它有多大？你有什么感受？”“超新星爆炸是怎么回事？”“宇宙从何而来？又将去向何方？”……由于课堂上留下了充足的时间给学生去倾听、去表达，课堂的交流很充分、很精彩，不时地碰撞出思维的火花，学生的科学交流能力也在这些思维碰撞中得到了升华。

总之，培养和提高学生科学交流能力的方法很多，关键要根据教材和学生的实际情况，选择恰当有效的方法，同时还应在教学实践中不断探索、革新，逐步完善。

教学设计篇

当整理国培班学员老师的教学设计时，我只有一种感觉——沉甸甸的，因为这是两年“国培”的成果，里面渗透着大家的汗水，凝聚着众人的智慧。教学设计篇共收录了23篇教学设计，包括小学科学教材中物质、地球和宇宙、运动和力、环境和我们等多个单元内容，教学设计亮点纷呈，有的更是通过演绎获得各项佳绩。如黄仁军老师的《小车的运动》曾在全国小学科学年会展示并获得一等奖；李长育老师的教学设计《空气占据空间吗》，通过一个乒乓球为学生搭建探究的支架，将空气占据空间具体而生动地演示出来。我们从中可以体察到学员老师们的教学思想，也领略到老师们不同的教学风格，或严谨入微，或不拘小节，或亲切平和。细读一篇篇设计时，老师们在课堂上的风采仿佛再现，那抑扬顿挫的话语犹在耳边，还有那科学课堂独有的探究和实践的热烈场景也浮现在眼前。

培养学生的科学素养是科学课程标准的最高要求，这是给科学教师们的严肃命题，如何把科学概念，过程和方法，情感、态度和价值观有机整合起来，还真是个不大但绝对不小的难题。科学学科需要我们为它的发展做点什么，不积跬步无以至千里，不积小流无以成江海，相信有我们的坚持科学学科教育教研之路一定会是一片欣欣向荣。

邓　海

2016年9月30日

《小车的运动》教学设计

黄仁军[①]

一、教材分析

《小车的运动》是小学科学苏教版四年级下册第三单元的第四课，是学生在学习了“物体的运动方式”的知识基础上，对做直线运动的小车展开的具体探究活动。在教学中，以学生喜爱的小车为话题，按照“问题—假设—实验—结论”的科学探究过程，对小车在平面上运动的过程中产生的问题“一辆载重汽车行驶的快慢与哪些因素有关”进行探究，然后针对问题做出各种假设，在假设的基础上采用“控制变量”的方法来搜集证据，得出结论，让学生在亲身经历科学探究的过程中学会探究方法，提高学生的科学素养。

二、学情分析

从小学生知识体系和学习能力体系上来看，四年级的学生已经掌握了一定的科学知识和学习方法，并通过三年级科学课的学习，已具备了初步的思维能力和探究解决简单实际问题的能力，“小车的运动”属于物体的运动种类的学习内容。通过对物体运动的距离、时间、方向等内容的学习之后，学生对物体的运动因素已经有了相应的理解，对于本课中的问题“小车的运动快慢与哪些因素有关”，学生能够根据现有知识结构顺利完成探究任务。

三、教学目标

(1)通过讨论、演示等活动，指导学生研究拉力大小与小车运动快慢的

① 黄仁军，男，专科学历，广德县兴华小学高级教师，德育主任。主讲课程：小学科学。

关系。

(2)通过小组合作、实验验证,探索载重量大小与小车运动快慢之间的关系。

(3)让学生经历探究的过程,掌握收集并选择有效数据的方法。

四、教学重点

按照“问题—假设—实验—结论”的科学探究过程,探究拉力和载重量与小车运动快慢之间的关系。

五、教学难点

根据假设设计实验,并验证。

六、教学准备

小车、垫圈、钩码、绳子、木板、秒表、计算器。

七、教学过程

课前交流:同学们,今天黄老师给你们上课,你们欢迎吗?用掌声欢迎一下好吗?(掌声)非常感谢同学们,为了表达感谢,老师带来了一个小玩具。(出示玩具小车)会玩吗?

请一名同学玩小车。

(1)谈话:你们发现他是怎样让小车跑起来的?想一想,如果发条拧的圈数不同,小车跑起来会怎么样?

(2)学生回答并演示。

(3)谈话:小车是靠发条跑起来的,我们生活中的汽车又是靠什么才能跑呢?

刚才大家表现得都非常棒,我相信在课堂上同学们会表现得更优秀!

(一)创设情境,激发兴趣

师:同学们,刚才我们玩了小车,今天我们继续研究小车的运动。

板书:

小车的运动

(1)播放动漫视频。

(2)提出问题:载重汽车运动的快慢可能与什么有关?

(设计意图:利用学生熟悉而又喜欢的玩具小车引出课题,通过玩小车拉开活动的序幕,激发学生探究的欲望与兴趣。让学生初步感知“问题—假设—验证—结论”的探究过程,并利用视频引导学生提出需要研究的问题,明确探究的目标。)

(二)提出问题,大胆假设

师:请同学们结合生活中的汽车,大胆猜想一下载重汽车运动的快慢可能与什么因素有关?

(1)引导学生大胆猜想(教师适时板书)。

可能与拉力有关,可能与载重量有关,可能与路面有关……

(2)谈话:影响载重汽车快慢的因素可能还有很多,这些都是我们的假设。(板书:假设。)假设一定正确吗?怎样知道我们的假设是不是正确的呢?(板书:实验。)

(设计意图:鼓励学生进行多种猜测,可能有的猜测是正确的,有的猜测是错误的,但要尊重学生的猜测。提出假设是进行科学研究的一个重要环节,在教学中让学生对“小车运动快慢”提出各种猜测,如与拉力的大小有关、与小车的重量有关、与路面的粗糙程度有关等,以假设为突破口,激发学生创新的火花。)

(三)研究拉力大小与小车运动快慢的关系

1. 认识实验器材

(1)(出示图片)介绍用钩码代替货物,用螺母的重量通过滑轮产生拉力。

(2)教师用实验器材模拟载重汽车的运动。

2. 设计实验方案,讨论实验方法

教师引导:刚才我们已经做出了假设,拉力大,小车的速度快,拉力小,小车的速度慢。要验证这个假设,我们需要模拟拉力大小不同的情况下小车的运动,将它们的速度进行对比。

(1)小组讨论:对比中需要改变的条件是什么?不能改变的条件是什么?

(2)小组汇报、交流。

(3)小结：在研究拉力与小车运动快慢之间的关系时，只能改变拉力的大小，其他一切因素都不能改变。

(4)指导学生演示实验：交流实验注意事项，确定起点和终点、控制变量、重复验证、分工合作等。

3. 分小组进行实验探究

(1)了解实验要求。

①分工合作，每次实验控制好不能改变的条件。

②准确计时，边实验边记录。

③实验结束，收好器材，完善实验记录单。

(2)学生分组实验，教师巡视指导。

(3)小组展示交流实验记录单。

(4)教师评价总结：小车运动快慢与拉力大小有关，拉力越大，运动速度越快；拉力越小，运动速度越慢。

(设计意图：通过交流、讨论等环节，让学生寻求解决问题的最佳途径，在交流中制定科学的研究方案。让学生学会利用“控制变量法”对小车的运动进行研究，如探究小车运动快慢与拉力大小的关系时，只能改变拉力的大小，而不能改变其他任何因素，研究小车运动快慢与其他因素的关系时，依此类推。此时教师的作用是引导学生学会如何设计科学的实验。本实验的难点有：确定起点和终点、控制变量、重复验证、分工合作。)

(四)研究载重量大小与小车运动快慢的关系

(1)交流实验方案。

教师：研究完拉力这个因素，现在我们再来研究载重量与小车运动快慢的关系。根据我们前面的假设，你们认为实验验证时需要改变的条件是什么？不能改变的条件又是什么？

(2)点名回答。

(3)教师小结、提醒：在研究载重量与小车运动快慢之间的关系时，只能改变载重量的大小，其他一切因素都不能改变。为了实验顺利进行，老师建议你们先做载重量大的实验，再做载重量小的实验。

(4)学生分组实验验证，教师巡视指导。

(5)交流实验数据及结论：结合实验记录表，小组进行交流汇报。

(设计意图:学生是科学学习的主体。在本环节中,将科学探究的主动权交给学生,给予充足的时间,让学生在实验中形成科学的实验能力。教师参与到学生的活动中去,并让自己成为组内的一员,引导学生正确进行实验。)

(五)联系生活,拓展延伸

教师:今天的实验同学们做得很好,老师还想考考大家,敢不敢接受挑战?

1. 小小科学家

(1)验证路面与小车运动快慢的关系:

需要改变的条件是(　　),不能改变的条件是(　　)。

(2)验证车轮的多少与小车运动快慢的关系:

需要改变的条件是(　　),不能改变的条件是(　　)。

2. 汽车图片欣赏

(1)欣赏现在各种汽车的图片。

(2)欣赏未来可能出现的汽车图片。

(3)说一说:如果你是汽车设计师,你想设计什么样的汽车?

八、板书设计

小车的运动

问题	载重汽车行驶的快慢与什么因素有关?		
		大	快
假设	拉力	小	慢
		大	慢
	载重量	小	快
	路面		
实验	车轮的多少		
	车轮的大小		
结论	……		

附:

小车的运动记录单(一)

我们的假设:小车运动快慢与拉力有关。拉力越大,小车的运动速度越快;拉力越小,小车的运动速度越慢。

我们的实验设计:

需要改变的条件是:________________________

不能改变的条件是:________________________

我们的实验记录:

拉力	小车行驶的时间(秒)			
	第一次	第二次	第三次	最后结果
小				
大				

我们的发现:________________________

小车的运动记录单(二)

我们的假设:小车运动快慢与载重量有关。载重量越大,小车的运动速度越慢;载重量越小,小车的运动速度越快。

我们的实验设计:

需要改变的条件是:________________________

不能改变的条件是:________________________

我们的实验记录:

载重量	小车行驶的时间(秒)			
	第一次	第二次	第三次	最后结果
大				
小				

我们的发现:________________________

《空气的热胀冷缩》教学设计

邓　海[1]

一、课前分析

(1)教材分析。“要想教得好、学得好，就须做得好。”小学生学习科学课程就是用已知的知识和方法，在做中学，在学中思，探究未知的科学世界的过程。

《空气的热胀冷缩》是小学科学教科版五年级下册第二单元的第四课，是在研究了液体的热胀冷缩之后，引导学生关注并研究空气的热胀冷缩现象，这是一节典型的探究实验课。本课由两个部分组成，第一部分指导学生观察空气是否会热胀冷缩，第二部分指导学生对热胀冷缩现象做出解释。

思考一：如何让科学教学材料更贴近学生生活？

不难看出，教材中的器材来自实验室，而非学生的生活。虽然学生会感兴趣，但让科学成为实验室的科学，与学生之间无形之中有了距离，缺少了生活的味道。

对策：从改进实验器材开始，选择学生身边的材料——饮料瓶、塑料注射器、乒乓球、橡皮泥等，拉近科学与学生的距离，让学生知道科学就在身边。

思考二：如何避免学生思考形式化？

有人说，小学科学教学就是由一个个问题组成的，这一点不为过。以本课为例，教材由10个问题组成：“空气是否会热胀冷缩？”“如果空气会热胀冷缩，我们能试着解释这种现象吗？”“空气是看不见的，我们怎么知道它的体积有没有变化呢？”“我们能想出一些观察的办法来吗？”“与水相比，空气的热胀冷缩有什么特别的地方？”“温度变化了，水和空气的体积都会发生变化，这是怎么回

① 邓海，女，大专学历，芜湖市柳春园小学高级教师，副校长。主讲：小学科学。

事?”“我们能解释水和空气的热胀冷缩现象吗?”“当我们都紧挨着站在教室中间或每个人都起劲地在教室跳跃时,哪种情况下占据的空间大?”“从游戏中我们明白了什么?”“物体的热胀冷缩是什么引起的? 我们能建立自己的假设吗?”10个问题是递进的,处理不当,就会出现学生猜老师的需要,说老师想要的答案,于是思考流于形式就难免了。

对策:厘清教学脉络,通过具体实例让学生从宏观到微观认识空气的热胀冷缩,从问题设计到实验设计,让学生积极参与,促使学生在探究活动中实现主动思考。

思考三:如何将建模具体化?

本课试图用微观的微粒假说对宏观的热胀冷缩现象加以说明,通过建立模型,让小学生体会微粒运动。

对策:发挥多媒体课件的优势,通过动画帮助学生想象微粒运动,将微粒运动形象化、生动化,变抽象为具体,有效辅助建模教学,突破教学难点。

(2)学生分析。五年级学生一般10岁左右,他们对周围的世界充满着新奇感,对许多问题感兴趣,但更多的是一知半解。教学应从生活入手,选择学生熟悉的话题,选取他们熟悉的材料,使学生感到不陌生又有一定的挑战。

经过了两年科学的学习和训练,学生已经掌握了一些科学探究的方法,但探究活动不能完全自主进行,教师适当的引导必不可少,避免凭空的想象和随意的探究。本课中模型这个概念对学生来说是陌生的,学生对模型的理解是船模、飞机模型,如何引导学生正确认识模型,并从感性认识上升到理性认识是本课的难点。

二、教学目标

科学知识:了解空气具有热胀冷缩的性质,知道气体热胀冷缩对生活的影响。

过程和方法:尝试用提出问题—分析问题(假设猜想)—实验—解决问题的科学研究方法解决问题;能描述和解释在活动中观察到的一些现象,并用模型的思想进行解释。

情感、态度与价值观:能积极与其他同学交流并合作完成探究活动,体验合作的愉快。

三、教学重点

认识空气的热胀冷缩现象,得出空气具有热胀冷缩的性质。

四、教学难点

热膨胀现象与物体内部微粒的运动有关,尝试用模型解释现象。

五、教学准备

多媒体课件:《空气的热胀冷缩》。
演示材料:汽水瓶、瘪乒乓球、热水、冷水(冰块)、平底烧瓶等。
分组材料:饮料瓶、一次性杯子、气球、注射器、橡皮泥、热水、冷水(冰块)。

六、教学过程

(一)复习旧知,引入主题

1. 复习旧知——液体的热胀冷缩

(出示一个平底烧瓶,其中装满红墨水,并在瓶口部位装一根玻璃细管。)

将平底烧瓶放置在热水中,会怎样?(玻璃细管内液面上升,体积变大。)

将平底烧瓶放置在冷水中,会怎样?(玻璃细管内液面下降,体积变小。)

液体有热胀冷缩的性质,在生活中有哪些应用?(温度计。)

(出示装有热水的饮料瓶。)

为什么各种瓶子中的液体都没有装满?(液体的热胀冷缩。)

(设计意图:通过递进问题的设计,巩固学生对"体积""温度""热胀冷缩"的认知。)

2. 引入探究的主题——气体的热胀冷缩

教师演示:倒掉饮料瓶中的热水,盖紧瓶盖(强调盖紧瓶盖,外面的空气进不去,里面的空气出不来),将空瓶(引导学生关注瓶子的样子)置于冷水中。

提问:你认为会发生什么明显变化?

(设计意图:这个实验很简单,却出乎学生的意料,能够唤起学生极大的探究兴趣,为学生学习"空气的热胀冷缩"打开了方便之门。)

拿出冷水中的瓶子,观察瓶子的变化。(瓶子已经明显瘪了,发生了形变。)

思考：瓶子为什么会瘪?(引发学生深度思考：瓶子的形变可能是空气的热胀冷缩导致的。)

空气也像水之类的液体一样，具有热胀冷缩的性质吗?(课件展示课题。)

(设计意图：从“液体的热胀冷缩”性质自然过渡到探究“空气的热胀冷缩”性质，让学生能够自然迁移；多媒体课件课题的醒目出示，提升了学生对学习内容的关注度。)

(二)观察空气热胀冷缩现象

1. 探究活动一

(1)设计实验，讨论“空气是否热胀冷缩”的实验方案。

提供空饮料瓶、气球等材料，请同学们根据屏幕上的提示(多媒体辅助)，先静静地想一想，之后与同学交流自己的想法。

(设计意图：“空气是看不见的，我们怎么知道它的体积有没有变化呢?”通过一个个小问题帮助学生整理想法，给学生一定的思考空间，让学生大胆设想，有利于实验方案的设计。)

交流：有没有谁能大胆地将自己的想法和大家一起分享呢?

(2)小组合作，进入实验探究环节。

(设计意图：把课堂还给学生，让学生切身感受实验带来的乐趣以及成功的喜悦，体现学生的小组自主探究精神。)

(3)多媒体辅助交流，发现空气的体积变化。

(设计意图：交流汇报是思考结果的一种呈现，多媒体辅助交流既可以引导学生整理思考的方法，提升学生的逻辑思维能力，也可以帮助学生学会倾听，提高课堂交流的有效度。)

(4)推测：如果在装有空气的饮料瓶顶部系上一个气球，将其分别放入热水和冷水中会怎样呢?

教师演示：继续实验，观察空气在冷水中的体积变化。

(设计意图：这是对热胀冷缩现象的一个重要体验。因为空气的热胀冷缩非常明显，当学生看到气球在热水中鼓起来，而在冷水中迅速回缩，甚至有可能被吸入瓶子内，这个体验将很深刻地留在学生的脑海中。同时，这一探究活动为进一步比较液体和气体热胀冷缩做好铺垫。)

(5)小结：通过实验我们发现，空气受热以后体积会膨胀，受冷以后体积会缩小,说明空气具有热胀冷缩的现象。

板书:

受热体积增大　受冷体积缩小

2. 探究活动二

(1)提供材料:注射器、橡皮泥。

(2)组织讨论:利用注射器和橡皮泥,能否研究空气受热体积变大,受冷体积缩小?你们打算如何开展这个探究活动?

(3)分小组实验探究。

(设计意图:能与前一个活动比较,借助注射器用具体的数据认识空气的热胀冷缩现象。)

(4)交流:说出10毫升的空气在受热或受冷时,体积变化的具体数值。通过具体数据认识空气热胀冷缩的体积变化的程度。

(5)小结:空气在受热或受冷时,体积变化很大。

3. 解决生活中的问题

(1)轻弹瘪了的乒乓球,提问:你发现乒乓球的问题了吗?你有什么办法让乒乓球恢复原状吗?

(2)出示自行车的内胎,讲述内胎的作用。随着季节的变化,你对给自行车打气有什么建议吗?

(设计意图:学以致用,体会科学的价值。)

(3)小结:空气的热胀冷缩与我们的生活密切相关!

(三)比较水和空气的热胀冷缩现象

1. 比较水和空气的热胀冷缩现象

(1)引发思考:通过实验,我们发现,空气和水一样,也具有热胀冷缩的现象。既然水和空气都有热胀冷缩的本领,请问:它们两个谁的本领大?

(2)出示小喷泉装置,提问:我们已经知道使水受热,液柱会上升。如果使上部的空气受热,液柱是否也会上升?

(设计意图:这个问题是鼓励学生大胆比较,有比较才有新的发现,也为解释"喷泉"现象做好铺垫。)

(3)演示实验:小喷泉。

(4)讨论两者的热胀冷缩有什么不同的地方,鼓励学生通过比较发现新的内容。

（设计意图：给学生充分的机会交流、探讨，这个活动不可忽视。）

2. 解释热胀冷缩现象

(1)提问：温度变了，水和空气的体积都会发生变化，这是怎么回事呢？你能解释水和空气的热胀冷缩现象吗？

(2)课件展示，学生游戏。

(3)利用课件中的动画模拟微粒运动：温度对微粒运动的影响。

（设计意图：课件中的动画形象地模拟了微粒运动速度、运动距离、运动范围与温度的关系，帮助学生建立了直观模型，使难点知识微粒假说问题能够迎刃而解。）

(4)提问：同学们，现在你们能不能像小小科学家一样，解释“热胀冷缩现象”呢？

常见的物体都是由微粒组成的，而微粒总在不断地运动着。物体的热胀冷缩和微粒运动有关：当物体吸热升温以后，微粒加快了运动，微粒之间的距离增大，物体就膨胀了；当物体受冷后，微粒的运动减慢，微粒之间的距离缩小，物体就收缩了。

板书：

微粒运动加速，间距增大；运动减慢，间距变小

（四）课堂拓展

深度分析：自然界中有不同的季节、不同的地点、不同的时间、不同的气温，这些会让我们周围的大气发生变化吗？有怎样的变化呢？

（设计意图：本环节内容已经超出了教材范畴，体现了分层原则，它是建立在引导学生深度思考基础之上的，让学生觉得自己在学习中有收获，让课堂能够延伸到课外，给学生更广阔的学习和思考的空间。）

七、板书设计

空气的热胀冷缩

微粒 → 受热 → 运动加速 → 间距增大 → 体积增大

微粒 → 受冷 → 运动减慢 → 间距变小 → 体积变小

八、教学反思

荀子曰:“不闻不若闻之,闻之不若见之,见之不若知之,知之不若行之。”生活即教育,教师要引导学生利用身边的材料学习科学,在探究与体验中,拉近与科学的距离。坚持在做中学,培养学生的动手能力和实践操作能力;在学中思,通过实践得到真知,在动手与动脑的紧密结合中促进学生科学素养的形成。

《物体在水中是沉还是浮》教学设计

武红卫[①]

一、教材分析

本课是小学科学教科版五年级下册第一单元《沉与浮》的第一课，是整个单元学习的基础。本课由三个部分组成：第一部分先观察一些常见物体在水中的沉浮，交流观察到的现象，从而得出观察物体沉浮的科学方法；第二部分通过实验观察更多的物体在水中的沉浮；第三部分进入本课的重点探究活动，让学生探究萝卜由小到大、橡皮由大到小时，它们在水中的沉浮状况，从而明白同种材料构成的物体，改变它的重量和体积，沉浮状况不改变。这三个部分的内容安排环环紧扣，步步深入，本节课获得的知识和技能为本章后续部分的学习奠定基础。

二、学情分析

沉与浮是生活中的常见现象，学生对其有初步的认知，但学生的认知是零散、简单、不确定、不准确的，比如，很多学生认为沉浮的原因与物体轻重和大小有关。本单元旨在让学生在已有经验的基础上，通过实验探究，逐步明白沉浮现象产生的原因，纠正原有的经验性认知，初步了解物体在水中沉浮的规律。

三、教学目标

科学概念：①知道物体在水中有沉有浮，判断物体沉浮有一定的标准；②了解同种材料构成的物体，改变它的重量和体积，沉浮状况不改变。

过程和方法：①能对物体的沉浮做出预测，并用实验验证，做好记录；②尝

① 武红卫，女，本科学历，安庆市石化第三小学高级教师，副校长。主讲课程：小学科学。

试学会用切分和叠加物体的方法研究沉浮变化。

情感、态度与价值观:认识到用实验验证猜想,能及时纠正自己的错误概念。

四、教学重点

通过实验证明“同种材料构成的物体,改变它的重量和体积,沉浮状况不改变”。

五、教学难点

会用切分和叠加物体的方法研究沉浮变化。

六、教学准备

每个小组水槽、泡沫塑料块、小石头、蜡烛头、带盖的小瓶、白萝卜(用苹果“浮”的现象会更明显)、橡皮(各1),10枚回形针,3块相同大小的小木块,小刀、砧板、记录表(各1)。

七、教学过程

(一)导入

(1)请同学们想一想并简单交流一下对物体沉浮的认识。

(2)过渡:通过交流,看出同学们对物体沉浮现象有一定的了解,但是物体沉浮现象是怎样产生的?物体的沉浮是不是固定不变的?物体的沉浮规律在我们的生活生产中能发挥哪些作用?通过这个单元的实验探究和学习,相信同学们对物体的沉浮现象将会有更多的、新的、科学的认识。(特别要说明的是:本单元我们只探究物体在水中的沉浮。)

(设计目的:①引出主题,诱发记忆,唤醒经验。②肯定学生的已有认知,但更要否定学生的已有的错误认知,同时还要启迪学生获得再认知和新认知的欲望。在肯定、否定和启迪下,激发学生的探究欲和学习兴趣,开启学习之旅。)

(二)自学教材内容,做好学习记录

这一环节主要是让学生自学并做好记录。

（设计目的：培养孩子自主获取知识的能力。对于十来岁的孩子来讲，这一点很重要，要坚持训练，养成习惯，最终发展为能力。通过自学，学生对学习内容有了初步了解，获取了模糊信息。模糊信息和模糊认识是学习的重要基础，对于知识的准确获取具有基础性、引导性作用，是比较学习的前提。）

（三）探究新知

1. 观察物体的沉浮

教师：物体在水中是沉还是浮？哪些物体在水中是沉的，哪些是浮的呢？（出示砖块、木块、泡沫塑料块这几种常见物品。）

（1）先请同学们猜测上述物体在水中的沉浮情况。

（2）各组一样一样地进行实验观察，获得判断标准。

（设计说明：这组实验虽然简单，但是很重要，判断标准要在这一步达成共识，确定下来，并排除沉浮在学生认知中的不确定因素和疑虑，为后面学习做好铺垫。实验用的泡沫塑料块最好选用高密度聚乙烯的，在水中会表现为悬浮，即不完全浮在水面也不完全沉在水底，这种悬浮现象界定为“浮”。）

2. 观察更多的物体在水中的沉浮

教师：明确了沉浮实验的判断标准，知道了操作方法，那么我们就来对小石头等七种物体进行实验，看看它们在水中是沉还是浮？

实验步骤：小组进行预测—给出预测理由—进行水中实验—记录实验结果。

讨论思考：影响物体沉浮的因素有哪些？（板书。）

预测一：物体在水中的沉浮与构成它们的材料有关（出示课件）。

表1所示为物体沉浮实验记录表。

表1 物体沉浮实验记录表

实验日期：________年________月________日　　　实验人员：______________

物体 过程	小石块	泡沫塑料块	回形针	橡皮	蜡烛	带盖的空瓶	萝卜	实验方法： 沉浮界定标准：
沉浮预测								
预测理由								
实验结果								
整理理由								
得出结论								

(设计说明:实验前的推测,是科学研究的重要环节,是进行初始假设或推论,也是调动思维的必要条件和有效做法。通过推测,学生展示对沉浮的初始认知。而一旦实验结果与学生初始认知产生冲突,便能引发学生再思考,发现并产生新的问题。学生讨论出的影响物体沉浮的因素,教学时要板书在小黑板上,这些正是下节课的教学内容,为下节课准备好材料。)

3. 观察同种材料构成的物体在水中的沉浮

教师:通过前面两次不同的沉浮实验探究,同学们亲眼目睹了不同物体在水中的沉浮是不一样的;同时,实验还向我们证明了我们原有的认知与实际情况是有差异的,这就意味着我们原来对物体在水中的沉浮认识是不全面的,有些认识还是不正确的。那么,我们要研究的物体在水中的沉浮规律是不是仅此而已呢?下面,我们继续探究(出示课件)。

预测二:同种材料构成的物体,改变体积和重量,它们在水中的沉浮不会改变。

要巧妙利用学生的初始认知:物体越小,重量越轻,物体越容易浮起来。学生会认为把橡皮切得很小的时候,会浮起来,实验结果会与学生的推测正好相反,这将再次激发学生的学习兴趣,促进思维发展。初始认知反复被实验结果否定,其作用是学生的新认知不断被加深。

建议:①使用能浮起来的白萝卜或者苹果;②不可以无限制切小,以免因水自身的张力,改变实验结果,影响教学,转移探索方向;③切分时提醒学生注意安全,并保护好课桌。

(这是沉浮实验的一个重要结论,也是学生重新认识沉浮的一个结论,在教学中要引导学生通过互逆实验,自主讨论、归纳出结论。)

八、教学反思

(一)关于实验

(1)本节课共三个实验,即“观察砖头、木头、泡沫塑料块的沉浮”,“观察小石头等更多物品在水中的沉浮”,“观察同一种材料构成的物品在水中的沉浮”,并从中获得三个重要认知,分别是“沉浮实验的方法和判定标准”,“影响物体在水中沉浮的因素”,“同种材料构成的物体在水中的沉浮规律”。本节课所用的实验物品都是常见的生活物品,容易找到,学生也有亲切感。

(2)本节课的实验要求教师和学生共同做，确保在有限的时间里完成教学任务，并确保学生思维不过于发散，精准地达成学习目标，获得科学概念，为后面的学习打下基础，这一点在这个单元的学习中非常重要。因为这个单元概念多，概念彼此相连，概念与概念之间意思比较接近，容易混淆在一起，教师要想办法通过教学让学生清楚地掌握这些概念。

(二)关于设计意图与教学目标

(1)第一个实验的三个物体在水中的沉浮现象不同，砖头沉在水底，木头浮在水面上，而泡沫塑料块是悬浮在水中。要让学生仔细观察，一是分辨出沉浮现象的差异；二是将生活现象转换为科学现象，这一点虽然不是教学的明确目标，但是应该作为小学科学教学的重要内容，教师应在教学中加以引导，以期让正确的经验转变成科学知识；三是教师在实验时，要提醒学生仔细观察实验动作，学习掌握沉浮实验的方法：“将物体轻轻地放到水中，不是扔进水里，也不是将物体放在水面上。”通过对三个实验现象的仔细分辨，看出沉、悬浮、浮的区别，在后面的学习中，我们将确定沉浮判定标准：只要物体不是沉在水底，就判定为浮，也就是将“悬浮”界定为“浮”，从而将教学的难易程度控制在学生的认知水平之内。

(2)第二个实验的目的是观察更多物体在水中的沉浮现象，一方面学习掌握科学实验“五步骤”，另一方面探究出物品在水中沉浮的因素。我设计的实验记录表格，在实验之前有“沉浮预测”及“预测理由”，实验之后有“整理理由”环节，抓住实验前后环节不放松，目的是指导学生通过收集信息、整理信息，归纳出物体在水中的沉浮因素。收集信息、整理信息及归纳信息的能力是重要的科学素养，教师要有意识地训练学生，培养学生获得此能力。这个环节有点难度，教学中要注意掌控。

(3)第三个实验是与第二个实验紧密相连的，学生在第二个实验中预测物体在水中的沉浮跟物体的轻重、体积有关系。在教学中引入这些经验性的共识，旨在通过第三个实验让学生认识到这些认识是简单的、不准确的，而科学是求真的过程，科学学习的任务之一正是要纠正学生的经验型认识。同时，通过第三个实验，学生要归纳出本单元第一个实验结论：同种材料构成的物品在水中的沉浮跟它们的轻重、体积没有关系。用事实验证学生在第二个实验中得出的影响物体在水中沉浮的因素是“轻重、体积”这一结论是不准确的、笼统的，

"物体的重量、体积与沉浮"之间是有特定的条件限制的,以此反映出科学研究的过程是严谨求实求知过程。

一个实验一个目标,一一对应,步骤清晰,目标明确,易于教学展开和学生学习的顺利进行。

(三)关于教学效果

(1)从实验记录的完成情况来看,学生大都能很好地完成填写。"整理理由"的难度比较大,教师可根据情况进行。

(2)思维导图是教学的宝贵资源。第一,运用思维导图,突出教学重点。不同班级的学生在探究物体在水中沉浮的因素时,既有共同点,又略有差异,重量、密度、材质是同学们的共识,这就使本课探究重点清晰地"浮现"出来。第二,学生的经验认知为教学提供了有力的支撑。学生对于物体在水中的沉浮因素的经验认知,完全满足单元的教学需要,教学可以按照"收集沉浮因素—整理并找出重点—实验依次验证"的步骤逐步展开,体现科学教学源于学生、源于生活,科学学习贴近学生、发展学生的目标。第三,重视并运用好学生经验认知,可以激发学生学习的浓厚兴趣。特别是当几个平行班级学生的认知被展示出来,同学们看到不在同一个班级的伙伴们的经验认知如此相似,他们非常惊讶,充满学习和探究的兴趣。

(3)对于沉浮实验方法和标准,通过实验演示可以很清楚地让学生掌握,教师无需多言。

沉浮一水间,教学如锁边。看起来简单的教学内容、简单的实验过程、简单的三维目标,要让学生在自主探究中、在有限时间内、在充满兴趣和趣味的过程中进行,对教师的教学设计、教学方法、教学艺术的要求是非常高的,教师要做到细备学生、精备教材、深备自我,如给霓裳锁边一般,做到精细、密致,上出来的课才能精彩、有效。

《昼夜交替现象》教学设计

叶亚坤[1]

一、教材内容

《昼夜交替现象》是小学科学教科版五年级下册《地球的运动》单元的第一课。

二、教材分析

本课旨在通过大胆猜测、科学探究，让学生展示他们对昼夜交替现象的看法，为学生本单元后继探究学习做铺垫，而不是要求学生掌握形成昼夜交替的原因。教材设计了三个有层次的活动：一是学生自由发表他们对昼夜交替现象的假说；二是做昼夜交替现象的模拟实验；三是根据模拟现象提出有根据的多种可能的解释，并对这些解释进行分析。

教材列举了产生昼夜交替现象的四种假说，其目的是打开学生的思路，引导学生从地球和太阳的相对运动角度，提出产生昼夜交替现象的多种解释，并通过模拟实验去验证，使学生明白昼夜交替现象有多种可能的解释，需要用更多的证据才能加以判断。

三、学情分析

通过课前调查、统计分析发现，少数学生虽然了解昼夜交替现象，知道“地球在自转并且围绕太阳公转”这一科学事实，但都是通过书籍、电视等渠道获取的，知识是以零碎的形式存在的没有完整、有序地建构，因此，可以说学生对昼

---

① 叶亚坤，女，本科学历，合肥市第六十一中学小学部高级教师，合肥市学科带头人、优秀教师。主讲课程：小学科学。

夜交替现象产生的真正原因是困惑不解的。

五年级的学生想象丰富,思维活跃,对周围世界有强烈的好奇心和探究欲望,乐于动手操作,只要教师加以引导,就能将这些转化为强烈的求知欲望和学习行为。但五年级学生的思维方式还处于形象思维向抽象逻辑思维过渡阶段,而昼夜交替现象产生的原因是抽象的。抽象思维的展开是以具体形象为基础的,因此,教学中教师应遵循学生的认知特点,契合学生的思维发展水平,将宏观的物象直观化,不易观察的物体可视化,变难为易,使学生初步认识到日地之间的相对圆周运动形成了昼夜交替现象。

四、教学目标

(一)科学概念

(1)知道昼夜交替现象有多种可能的解释。

(2)初步理解昼夜交替现象与地球和太阳的相对圆周运动有关。

(二)过程与方法

(1)能积极提出地球产生昼夜现象的多种假说,并且进行验证。

(2)做好模拟实验,运用实验搜集证据。

(3)根据实验情况修正自己的解释。

(三)情感、态度与价值观

(1)认识到积极参与讨论,并发表有根据的解释是重要的。

(2)认识到同一现象可能有多种不同的解释,需要用更多的证据加以验证。

(3)培养主动探究、敢于质疑、积极合作的态度。

五、教学重点

引导学生大胆猜测,提出昼夜交替现象的多种假说;通过模拟实验验证假说并尝试解释。

六、教学难点

初步理解昼夜交替现象与地球和太阳的相对圆周运动有关。

七、教学准备

教师准备：课件、地球仪、去掉灯罩的手电筒、自制的“太阳”、关于地球的彩色图片、圆形黄色即时贴。

学生准备：小地球仪、去掉灯罩的手电筒、实验记录单、彩色水笔、圆形黄色即时贴。

八、教学时间

一课时。

九、教学过程

课前活动：出示课件，自动播放宇宙、地球、极昼、极夜、同一地点四季不同风景等图片。

师：同学们，在浩瀚的宇宙中有一颗美丽的蓝色星球——地球！它为我们人类呈现出美轮美奂的自然景观与丰富多彩的自然现象。喜欢它吗？这节课我们就一起进入《地球的运动》单元，尽情探索地球奥秘吧！

（设计意图：本课是《地球的运动》单元的第一课，让学生从欣赏神秘莫测的宇宙空间、美轮美奂的自然景观、丰富多彩的自然现象等图片入手，不仅使孩子简单了解整个单元所要学的内容，而且可以引发孩子对地球奥秘探究的浓厚兴趣，为本单元的学习奠定基础。）

（一）创设情境，导入新课

(1)学生欣赏视频，激趣生疑。

(2)初知“昼夜交替”，揭示课题。

师：这段视频呈现的是什么时间段的景物？（白天、夜晚。）

学生汇报。

师：太阳东升，白天来到；太阳西落，夜幕降临；第二天太阳又从东方升起，白昼又来临了……昼和夜就这样不停息地交替出现，我们把这种现象称为“昼夜交替现象”。

板书：

昼夜交替现象

(3)引导学生提出问题,教师归纳整理,确定本节课的探究主题。

①关于昼夜交替现象,你们想研究什么?

②这节课我们就来研究昼夜交替现象产生的原因。

(二)思维碰撞,提出多种假说

(1)引导思考,明确昼夜交替现象的产生与太阳和地球运动有关。

①师:昼夜交替现象的产生与什么有关?

②师:假如太阳、地球都静止不动,能产生昼夜交替现象吗?为什么?看来,它们只有怎样才能产生昼夜交替现象?(运动。)

(2)鼓励猜测,明确提出假说要求。

师:地球与太阳怎样运动才会产生昼夜交替现象?请同学们先个人猜测,然后小组讨论,并将你们的猜测写在椭圆形卡片上。

(设计意图:爱因斯坦说过,学校的目标应当是培养有独立行为和能够独立思考的个人。独立思考能力是合作学习技能的重要组成部分。合作学习是一个交往的过程、一个互动的过程,而独立思考则是一个自主的过程、一个内化的过程。因此,在本环节教学中,教师先请学生独立思考,并用喜欢的方式记录下自己的假说,再合作交流,做到"动""静"结合,"存异""求同"结合,积极思考地球昼夜交替现象产生的多种假说,不仅能够培养学生积极合作的态度,而且能够培养学生主动探究、敢于质疑的科学态度。)

(3)学生思考,组内讨论、记录,教师巡视指导。

(4)小组汇报展示猜测,教师归纳整理。

(三)模拟实验

(1)确定实验材料,使学生明白寻找具有相似特征的材料来代替太阳和地球,才能保证实验的真实性和准确性。

①师:猜测是科学发现的前奏,你们已经迈出了精彩的一步。下一步做什么?(做实验验证我们的猜测。)可太阳太大,离我们太遥远,地球也太大,搬不动,怎么办呢?(用具有相似特征的材料来代替太阳和地球,才能保证实验的真实性和准确性。)

②师:太阳、地球有什么特征?用什么代替太阳呢?用什么代替地球呢?像这样寻找具有相似特征物品做实验的方法就是模拟实验法。刚才你们提到

的材料都可以做这个实验。今天,老师为你们准备了地球仪、光源,你们打算怎么做实验呢?小组讨论一下实验方案,可以边演示边设计。

(设计意图:本课教学中,让学生认识到实验材料与模拟对象的相似性也是重要的。因此,在这一环节中,我通过看似不经意的聊天,实则目标明确地引出几个层次性问题,逐步引导学生懂得如何选择模拟实验材料,同时培养学生严谨、尊重事实的科学态度。)

(2)小组讨论、演示实验方案,教师巡视指导。

(3)小组汇报实验方案并演示,其他组评议补充,教师相机指导。

(4)师:为保证实验顺利进行,老师有几点温馨提示送给你们,请认真看一看。(课件展示《温馨提示》。强调组员互换角色,轮流操作。)有疑问吗?好,心动不如行动,材料员领取材料,动手实验吧。

(设计意图:①本环节是教学中的重点,看似简单的实验操作,实则“险象环生”,观察无目标、光照射地球的方法不对,地球、太阳运动方式不对,手电筒随意晃动,转动速度过快……都会导致模拟实验不成功。因此,我运用小组台前汇报演示、教师演示设疑、其他小组补充说明的方式,帮助学生整理出规范的实验操作方案,最后再出示《温馨提示》,使学生对模拟实验的操作方法了然于胸,为学生完成模拟实验奠定了坚实的基础。②强调组员互换角色,轮流操作是为了使每位学生都成为探究实验活动的主人,真正体验到探究的快乐与成就感,激发孩子对科学学习的浓厚兴趣,同时起到均衡发展孩子科学素养的作用。)

(5)小组合作进行模拟实验,并认真观察,用示意图、文字记录,教师巡视指导。

(设计意图:真正的学习,不是发生在学生的手中,而是发生在学生的头脑里。探究过程中,要有意识地培养学生将思考的习惯贯穿于动手活动之中。在学生遇到困难之际,教师适时点拨,为学生提供锻炼思维专注性、严谨性与深刻性的机会,从而完善个人观点的思维建构过程,同时提高学生实验操作能力,让学生体验到实验成功带来的快乐,激发学生进一步探究地球奥秘的浓厚兴趣。)

(四)互动交流,总结实验成果

(1)模拟实验完成了,为了让更多的人有机会展示,每小组只汇报一种情况。

(2)学生台前展示记录单,汇报实验过程及发现。汇报结束,将记录单贴在黑板相应的假说示意图下。教师根据汇报在黑板相应的昼夜交替现象示意图旁做标记(√)。

(3)评价小结。

①(教师手指板书)通过模拟实验,我们发现这7种假说都成立,说明了什么?(昼夜交替现象的产生有多种解释。)

②通过刚才小组实验示意图的展示,我们发现地球、太阳的运动轨迹有什么特点呀?(地球、太阳的运动轨迹都是近似圆形,运动方式是相对圆周运动。)

师:通过课件我们发现,昼夜交替现象有多种可能的解释,昼夜交替现象与地球和太阳的相对圆周运动有关。刚才你们像小科学家一样成功地完成了模拟实验,不仅验证了自己的假说,还有了重大的发现,真棒!

(五)总结收获,激发探索兴趣

(1)学生谈收获与存在的疑问:通过今天的学习,你有什么收获?对今天的学习,你们有疑问吗?

(2)教师总结:对于"为什么地球上昼夜会不断地交替"这种自然现象,虽然有多种可能的解释,但科学合理的只有一种,要找到符合真实情况的解释,需要更多的信息和证据。课后,同学们可以查阅一下相关的资料,相互交流,不断完善和修正我们的认识。同学们,科学无止境,只要肯攀登!下节课我们将继续深入研究。

十、板书设计

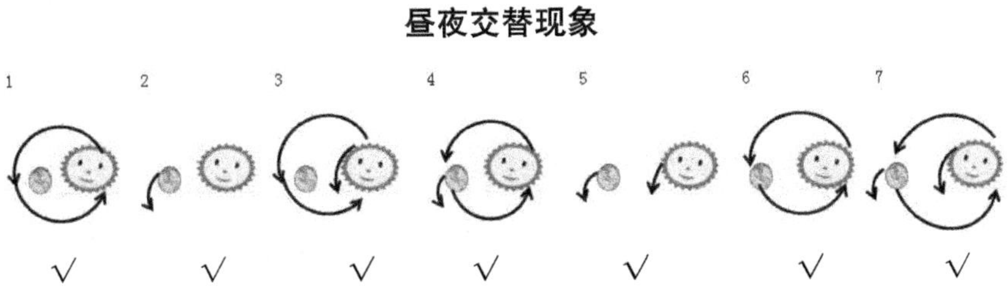

(注意:学生汇报结束后,将记录单贴在黑板相应的假说示意图下。)

十一、实验记录

表1为昼夜交替现象模拟实验记录表。

表1 昼夜交替现象模拟实验记录

第______组

我们的假说	实验情况(用示意图表示)	验证结果(填“能”或“否”)
我们的发现:		

十二、教学反思

1. 整合教学环节,合理分配时间,走向简约课堂

打造简约课堂是我一直追求的目标。简约课堂,不只是简单的课堂,更是高效的课堂。它体现了以生为本的思想,关注学生如何学习,课堂上教师充分考虑学生的学习时间和活动空间,力求让学生有充裕的自主学习机会进行探索活动。因此,在教学本课时,我首先合理、巧妙地把温馨提示、材料呈现、实验操作方法等一个个小的探究活动串联起来,整合成一个完整的长时间的探究活动,期望不打断学生的探究思路。通过整合,形成四个教学环节:导入—主题活动—研讨交流—总结延伸。其次,集中探究问题,合理分配各教学环节的时间。在导入阶段,我播放一段20秒钟的视频,单刀直入,聚焦问题,再用2分钟时间使学生明确本节课的主要任务。之后把30分钟时间放在“发现问题”“提出假说”“模拟实验”上,给予核心探究活动充足的时间,保证核心探究活动的深入开展。同时,准备的探究材料呈现结构性,使学生能进行一个较长时间的探究活动。因此,在探究过程中,出现令人惊喜的一幕:有的小组不但完成之前的假说验证,还在细致观察中,受到启发,提出新的假说,并利用材料继续探究。总结延伸用了8分钟。40分钟过去了,学生仍兴致盎然,意犹未尽,这为后续学习播下了“兴趣的种子”。

2. 巧用“支架式”理论,提高课堂实效性

在“提出假说”“模拟实验”主题活动中,以往教学为了提高课堂时效性,只让每组提出、验证一种假说,学生没有机会尝试其他的模拟实验就进入汇报、概

念形成的教学环节。由于缺乏相关理论的支撑,教师的角色定位没有把握好,因此,在设计学生提出假说环节,不是指导得太多使学生缺乏自主探究的机会,就是指导得太少,以至于浪费大量时间,学生却提不出高质量的假说。而我在本环节教学中,充分运用"支架式"理论,分别以"昼夜交替现象的产生与什么有关""如何做模拟实验"为切入点,层层剥茧,引导学生发现"昼夜交替现象的产生"与地球、太阳的运动有关,为学生参与提出假说活动提供外部支持,并引导学生演示模拟试验方法。随着学生对问题的认识加深,教师逐渐减少外部支持,最后让位于学生独立活动。在此过程中,既锻炼了学生的思维发展,又培养了学生敢于大胆猜测的科学素养,帮助学生有效完成主题探究活动,可谓一箭三雕。"支架式"教学有效提高了课堂实效性。

3. 让每一个孩子都成为探究活动中的主人

爱因斯坦说过,学校的目标应当是培养有独立行为和能够独立思考的个人。独立思考能力是合作学习技能的重要组成部分,合作学习是一个交往的过程、一个互动的过程,而独立思考则是一个自主的过程、一个内化的过程。因此,在本环节教学中,我先请学生独立思考,并用喜欢的方式记录下自己的假说,再合作交流,做到"动""静"结合,"存异""求同"结合,积极思考地球昼夜交替现象产生的多种假说,不仅培养学生积极合作的态度,而且培养学生主动探究、敢于质疑的科学态度。同时,在小组合作做模拟实验时,我强调组员互换角色轮流操作,使每位学生都成为探究实验活动的主人,真正体验到探究的快乐与成就感,激发孩子对科学学习的浓厚兴趣,同时起到均衡发展孩子实验操作等科学素养的作用。

4. 注重过程性、发展性评价

新课程改革倡导"立足过程,促进发展"的课程评价,所以,我特别关注学生参与的态度、关注学习的过程和方法、关注交流与合作、关注动手实践。在本节课中我采用灵活多样的评价方式:

(1)课前运用问卷调查法,对学生的前概念进行分析评价。

(2)课中进行教师评价、学生自评、互评等形成性评价,随时调控教学。

(3)运用访谈法,请学生谈谈学习收获,评价学生对科学知识的掌握。

(4)利用观察记录单作为评价载体,通过记录将学生思维发展的轨迹保留,使本课科学概念的评价具有极强的可操作性,为科学概念的评价以及过程与方法的评价研究提供了可参考的依据。

随着课程改革的深入，课堂教学的有效性已经成为时下比较热门的课题，也是当前深化课堂改革的关键和根本要求。有效教学要关注的是学生参与课堂的程度，让学生在学习中“学会学习”，在学习中“学会如何学习”，学习的不仅仅是知识，更重要的是方法。本课的教学中也存在一些不足之处，如对学生的探究思维范围估计不足。在今后的教学工作中，我还需要更全面、细致地考虑，对学生、对教材要更深入地了解，使课堂教学更有实效！

《各种各样的岩石》教学设计

齐家辉[①]

一、教材内容

《各种各样的岩石》是小学科学教科版四年级下册第四单元的第一课。

二、教材分析

《岩石与矿物》单元属于地球与宇宙科学领域的教学内容。本单元教学是小学生初次对构成地球的固体物质进行探究,对于激起孩子的兴趣有着至关重要的作用。在本课中,教材安排了“观察、描述岩石”和“给岩石分类”两个内容。通过观察、描述岩石的特点,应当让学生明确:用什么方法对岩石进行观察?观察到了岩石的哪些特点?怎样描述岩石的特点?通过给岩石分类的讨论,知道岩石分类的标准有很多,同时了解到地球上的岩石为什么是各种各样的。

课程标准指出:科学课程应向学生提供充分的科学探究机会,使他们在像科学家那样经历科学探究的过程中,体验学习科学的乐趣,增长科学探究能力,获取科学知识,形成尊重事实、善于质疑的科学态度。基于这一理论指导,结合本课特点,我采取小组讨论、全班交流等教学方法,让学生在合作、交流中体验科学学习的乐趣,培养科学协作精神。

三、学情分析

四年级的学生对岩石不会太陌生,他们在生活中已经接触了各种岩石,对

① 齐家辉,男,本科学历,阜阳市实验小学一级教师。主讲课程:小学科学。

于岩石他们有很多问题，如“美丽的雨花石是从哪里来的”，“卵石为什么这么光滑”等，这正是引领学生研究岩石奥秘的兴趣之源。期望通过本课的学习，学生捡到一块岩石时，不会随便看过后就扔掉，而是会运用各种观察方法对它进行研究。

四、教学目标

科学概念：①岩石是各种各样的，在颜色、花纹、颗粒大小、光滑程度等方面有各自的特点；②岩石可以按不同的特点分成不同的类别；③不同的分类标准其分类结果也可能不同。

过程与方法：①学生能用多种方法并充分运用感官观察岩石，经历了“观察方法—观察结果描述”的探究过程，提高了观察方法与技能；②通过用不同的标准对岩石进行分类，学生经历了一个简单的“提出问题—解决问题”的过程，培养了学生解释问题的能力。

情感、态度与价值观：①培养学生收集、研究岩石的兴趣；②养成良好的实验习惯，愿意与他人合作交流；③从欣赏自然界中的石头美景中获得美的体验，从而热爱大自然。

五、教学重点

使学生能用各种感官和简单工具观察岩石的各种特征，并用一些标准给岩石分类。

六、教学难点

通过比较岩石，能想出不同的分类标准。

七、教学准备

分组材料：在课前布置学生收集各种各样的岩石，我再根据教学需要准备一些岩石，弥补分组实验岩石种类和数量的不足。观察工具：放大镜、小锤子、观察记录单。

演示器材：岩石标本、相关课件和录像。

八、教学过程

(一)导入课题

让学生欣赏一些岩石图片(课件展示)。

师:看到这些图片,你们有什么想说的?

预设生:(惊讶)岩石非常美丽、漂亮,样式很多,岩石从哪里来的呢……

师:带着大家的惊讶和疑问,今天我们一起走进各种各样的岩石世界,去观察、研究它们。(出示课件《各种各样的岩石》。)

(二)探究过程

1. 小组内开展石头展览会

师:请每个小组内的同学之间相互介绍自己的岩石是在哪里找到的。另外,老师还给每个小组准备了一些岩石作为补充,请组长上来领取,并请组长把本组内的所有岩石按顺序标号。

2. 怎样观察"我的岩石"

师:我们以前观察过很多物体,回忆一下,你们都是用哪些方法观察的呢?

预设生:看一看,摸一摸,闻一闻,尝一尝……

师:很好,大家观察物体的方法都非常多。但是,观察岩石能不能用品尝的方法啊?

生:不能。

师:观察岩石除了能用各种感官,还可以借助一些简单工具来进行观察,如放大镜、锤子等。

师:大家观察岩石时要观察它的哪些特征呢?

小组讨论。

3. "我的岩石"观察记录

师:在观察岩石的同时我们要做什么?

生:填写岩石观察记录单。

教师分发岩石观察记录单,并巡视指导。

注意:请每小组四人只对一块岩石进行仔细观察,记录。

4.“我的岩石”观察描述

师：请一个小组的同学把你们组的所有岩石都放在展台上，并描述你们组观察的那块岩石的特征。注意：先不要说自己观察的是几号岩石，让其他组同学猜测你们观察的是哪块岩石。

学生描述，其他组同学找出相应的岩石，并对他们组的观察方法和观察结果进行补充和质疑。

教师小结：岩石都是天然的，比较坚硬，它们在地球上分布广泛；岩石在颜色、软硬、轻重、表面有无花纹、颗粒大小、光滑程度等方面有各自的特点。

(三)给岩石分类

(1)指导分类方法。

师：我们不仅要发现岩石的特征，还要试着给它们分类，你们会么？如果请你们分类的话，你们打算怎么分？用哪些标准去分？

小组讨论分类标准。

(2)给岩石分类。

教师分发岩石分类记录单，小组进行分类活动，教师巡视指导。

(3)小组汇报岩石分类结果及其发现的问题。

预设生：岩石的分类标准有很多，有一些岩石在不同的分类标准下归入不同的类别，还有一些岩石不属于任何类别……

(四)拓展延伸

(1)岩石的分类标准有很多，那么，你们想知道地质学家是怎么给岩石分类的吗？请阅读课本第81页单元资料库《岩石的成因与分类》。

(2)你们想了解更多的岩石知识吗？可以登录：中国科普博览(http://www.kepu.com.cn)或百度直接搜索岩石的相关资料。

(3)观看《世界地质公园——黄山》录像。

九、板书设计

各种各样的岩石

1. 岩石是各种各样的，在颜色、花纹、颗粒大小、光滑程度等方面有各自的特点。

2. 岩石的分类标准。

十、评价设计

(1)课堂教学评价。从学生活动状况和教师教学组织两方面来评价。学生活动状况评价从学习目标、学习兴趣、学习方式、参与效度等方面评价,教师教学组织评价从教学目标、教学准备、活动组织、课堂环境、评价反馈、创新与特色等方面评价。

(2)作业、作品设计评价。教师布置作业任务,根据学生完成作业的过程表现与完成作业或作品的质量来评价其有关水平与能力。

(3)学生学习效果的评价——测验与考试评价。通过测验与考试,能反映整个教学是否达到预定的目标,从而对科学教学做出调整与改进。

十一、教学反思

(1)在导入课题时,利用优美的课件把学生带进清新的大自然中,激发学生探究岩石的兴趣。

(2)以编号的形式把学生和教师准备的岩石合在一起进行观察,既保证了学生带材料的积极性,又保证了材料的结构性。给岩石编号还为后来在有限的时间内,多用几种标准给岩石分类节约时间。

(3)怎样在一个小组汇报观察结果的同时提高其他组学生倾听的积极性和注意力呢?我采取让同学猜测的形式,这样一来倾听的学生会更加集中注意力,达到生生互动的目的。在同学的汇报描述中,我还加强适当引导,注意让学生把岩石的一些主要特征用更准确的语言描述出来,达到锻炼学生表达能力的目的。

(4)分类标准要求学生小组内讨论提出,这就使学生在寻找分类标准的过程中,不仅可以对岩石的特征有更多的了解,还是一次良好的科学思维训练。

(5)知识拓展,课无止境。课堂的学习已经结束,但是生活的课堂才刚刚开始。我提供一些资料,让学生自己去探索发现、去寻找。

附：学生记录单设计(见表1、表2)。

表1 岩石观察记录单

第________小组　　　　　　　　　　　　　　________年________月________日

观察方法	岩石特点
注意：请每小组四人只对一块岩石进行仔细观察，记录。	

表2 岩石分类记录单

第________小组　　　　　　　　　　　　　　________年________月________日

按__________标准分 {

我发现了：______________________

《杠杆的研究》教学设计

刘玉荣[①]

一、教材内容

杠杆是小学科学苏教版五年级下册第一单元《神奇的机械》第二课《怎样移动重物》的教学内容,通过移动重物的情境提出了一系列探究问题,引发了学生的学习兴趣,激发了学生的内驱力。

二、教材分析

杠杆的研究由两个活动组成:第一个活动是引导学生进行自主探究活动,发展学生对信息的记录、分析能力;第二个活动是让学生体验变形杠杆工具在生活中的应用实例,加深对杠杆省力、费力原理的理解。从活动的逻辑关系来说,第一个活动是第二个活动的前提和基础,第二个活动是第一个活动的发展和深化,两个活动之间存在着递进关系。通过两个活动,让学生们理解杠杆省力、费力原理。本课的核心任务是:通过对平衡尺的探究,发展学生记录、分析、处理实验数据的能力。

三、学情分析

五年级的学生对探究活动兴趣浓厚,已初步形成形象思维,但如何运用科学的方法,有层次地、有重点地、有目的地去进行探究实验、得到结论,还需要老师给予一定的指导。因此,本课的教学重点定为通过对平衡尺的探究,发展记录、分析、处理实验数据的能力;教学难点定为运用杠杆原理认识变形杠杆工作

---

① 刘玉荣,女,本科学历,宣城市第二小学高级教师。主讲课程:小学科学,小学数学。

原理,理解其在生活中的合理应用。

在前面的科学学习中,学生已经初步认识了杠杆,知道杠杆上最重要的三个点:支点、阻力点、用力点。所以,本课以探究实验为基础,让学生经历在数据中找出规律的过程,从而理解杠杆原理及其在生产和生活中的应用,激发学生进行深层次科学探究的兴趣。

四、支架设计

支架设计见图1所示。

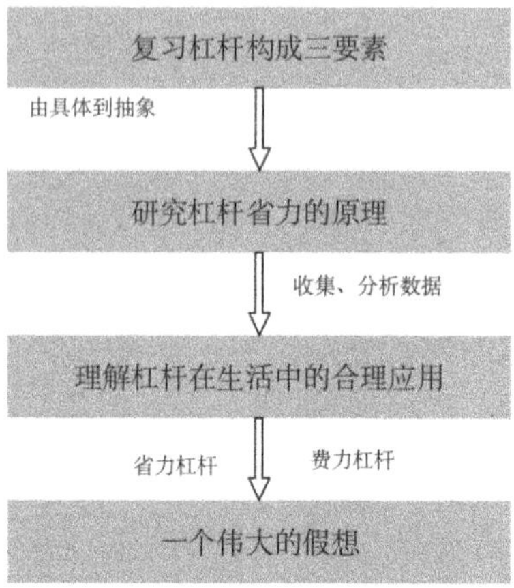

图1 《杠杆的研究》教学支架设计

五、教学目标

科学概念:明确支点离阻力点越近,杠杆越省力;反之费力。认识日常生活中几种省力和费力的杠杆。

过程与方法:初步学会利用平衡尺做实验;在平衡尺的探究活动中,发展记录、分析、处理实验数据的能力。

情感、态度与价值观:能在实验的探究中,逐步养成善于交流、乐于合作、科学记录的良好品质,体验到对待科学研究要保持严谨的态度。

六、教学重点

通过对平衡尺的探究,发展记录、分析、处理实验数据的能力。

七、教学难点

运用杠杆原理认识变形杠杆工作原理,理解其在生活中的合理应用。

八、教学准备

学生实验材料:平衡尺、钩码、记录表。自带工具。

教师演示材料:课件、平衡尺、钩码、实物(理发剪刀、火钳、自来水管、老虎钳、起钉锤、钉有钉子的木板等)。

九、教学过程

(一)情景引入,复习杠杆构成三要素

(1)请各小组将从家中带来的各种工具一一放在桌子上,并介绍工具的名称及使用方法。

(2)请大家把各组桌上木板中的钉子拔出来,比一比哪一组最快?

(3)你们是怎样拔的? 又是怎样使用起钉锤的? 说一说起钉锤拔钉子时,力是怎样传递的?

(4)师:(用课件播放拔钉子的慢动作)起钉锤是常用的工具,它是根据杠杆原理制造的,杠杆上最重要的三个点就是支点、阻力点、用力点。

刚才的锤身就是……

手往下用力掰锤柄位置就是……

垂嘴钳住钉帽,那这个位置就是……

师:今天我们要来研究杠杆为什么能省力的科学道理。

(教师出示课件《杠杆的研究》。)

(设计意图:从解决实际问题入手,引入新课,激发了学生的学习兴趣和求知欲;通过分析讨论,培养了学生的分析能力和综合能力。)

(二)自主探究:通过对平衡尺平衡的探究活动,初步理解杠杆省力和费力的原理

(1)教师讲解、演示,学生认识平衡尺的构造及其原理。

师:每个小组中都有这样一个实验装置,它也是一个杠杆,名叫平衡尺。

教师摆动一下平衡尺,提问:这个杠杆的支点在哪里?

教师用两个钩码当作重物挂在左边第二个钩上,告诉学生这个就是阻力点,并提问:如果要求尺平衡,应该在哪边用力?(右边。)

师:平衡了,这个就是用力点。同学们想不想来研究一下?

(设计意图:创设情境,激发学生的学习兴趣,培养学生自主学习、自主探究的能力。)

(2)布置研究任务:探究使平衡尺平衡的钩码挂法,并做好记录。

师:等会儿研究的时候,你们要注意,钩码要挂在一个钩上,挂好后一定要让尺平衡,老师要看看哪组挂法最多。记住了吗?

师:还要注意以下几个要求:

第一,要求左右两边钩码数量不一样,却能平衡,这才算本事。

第二,规定平衡尺一边只能挂一串钩码,不能在一边挂好几串。每次实验以平衡尺的右边为力点,要求每小组至少做五组实验。

第三,也是很重要的一点——小组内完成一种挂法后,由组长负责,马上把这种挂法记录下来。只有组长记录完毕后,才能开始研究下一种挂法。记录表一共8张,能记几张算几张。不要求快,但要求准确。(教师出示课件,课件中有记录表。)

学生实验,教师巡视指导。

(设计意图:学生以四人小组合作的形式开始了持续时间约10分钟的独立探究活动,教师则巡视指导,培养学生人与人之间的合作意识和合作能力。)

(3)学生汇报。

第一次汇报:展示用力点钩码数大于阻力点钩码数和用力点钩码数小于阻力点钩码数的两张记录表,比较其钩码数量的多少,明确后者比较省力。

结论一:阻力点到支点的距离比用力点到支点的距离近,杠杆就省力。

第二次汇报:展示两张费力的记录表,思考其共同特点。

结论二:阻力点到支点的距离比用力点到支点的距离远,杠杆就费力。

思考:杠杆在什么情况下省力?在什么情况下费力?在什么情况下省力,也不费力?(画简单示意图。)

(设计意图:安排足够长的时间,让学生对各种想法、各种观点进行交流、讨论,培养学生实事求是的科学态度。用笔画出阻力点到支点、用力点到支点的线段,比较所画线段的长短。由于线段的直观性,学生很轻松、准确地推导出杠杆省力的原理。)

(三)联系生活、拓展延伸

(1)游戏:“角力比赛”。

师:我为大家准备了自来水管,(请一名瘦弱的女生)给你一个优先移动支点的权力,敢和班长这个大个子角力吗?(试一试。)

(2)继续掌握移动支点优先权,能与4个同学进行“角力比赛”吗?(瘦弱的女生将支点移至对方手接近的地方,离自己较远的地方。)

师:女生为什么会成功?

师:从以上的实验中,我们进一步认识了杠杆原理。那么你能用杠杆原理来分析“用起钉锤拔钉为什么省力”的问题吗?

师:那老虎钳呢?它为什么能轻松地钳断铅丝?应用了什么原理?

师:(出示剪刀、镊子、火钳)这些工具是否应用了杠杆原理?

师:既然是个费力杠杆,人们为什么还要制造它,并使用它?

(设计意图:让学生体验杠杆工具在生活中的应用实例,加深对杠杆省力、费力原理的理解。这个环节突出“体验”,即让学生实际体验杠杆工具的效用。)

(四)总结延伸

师:今天这节课我们研究杠杆原理。运用杠杆原理来分析一个工具,关键是先找什么?

师:对,找准支点就容易分析了。请大家把所带工具的支点找出来,再来分析当人们使用这些工具时有怎样的效果?

结束(课件展示图片):一个伟大的假想:“给我一个支点,我能把地球撬起来。”

十、教学反思

本堂课的教学目标是让学生通过实验来获取数据,并根据数据的分析得出杠杆省力的原理,让学生经历在数据中找出规律的过程。因此,我在对本课进行教学设计时,力图突出两点:第一,引导学生进行自主探究活动,发展学生对信息的记录、分析能力;第二,让学生体验杠杆工具在生活中的应用,加深对杠杆省力、费力原理的理解。从实际教学效果来看,这两点都较好地实现了。

针对第一点,我先组织学生开展“寻找更多使平衡尺平衡的钩码挂法”的探究活动,并将自主探究而得的多种挂法记在记录表上。在研讨过程中,我先展示了省力状态和费力状态的两张记录表,通过简单的研讨让学生认识了这两者的根本性区别,这样既减轻了学生认知上的难度,也有利于后续研讨的深入。接着,我组织学生在记录单上画简单示意图,标出省力杠杆阻力点到支点、用力点到支点的线段,以及费力杠杆阻力点到支点、用力点到支点的线段,并进行比较。由于作业纸上线段的直观性,学生很轻松、准确地推导出杠杆省力、费力的原理。本课采用“扶放结合,有扶有放”的师生共同研讨模式。在这个师生共同研讨过程中,学生手中的信息是在自主探究中记录下来的,学生所得出的科学概念是在充分分析手中的信息后自行获得的,教师所起的作用就是先“扶着”学生进入有效的研讨思路,再“放手”让学生自行获取学习成果。在这个“扶放结合,有扶有放”的研讨过程中,学生对信息的记录、分析能力获得了较好的发展。

针对第二点,我注重突出“体验”,即让学生实际体验杠杆工具的效用,从而加深对杠杆省力、费力原理的理解。例如,在游戏“角力比赛”中,通过支点位置的移动,一名弱小的女生战胜了强壮的男生;通过“用起钉锤、老虎钳为什么省力”的分析,学生理解了省力杠杆工具的工作原理;通过分析火钳、镊子等生活工具,感受到火钳、镊子是费力杠杆工具;等等。正是这些实践体验活动,让学生头脑中抽象的科学概念化为现实具体、活泼生动的应用实例,理解了运用杠杆原理来分析一个变形杠杆首先要找支点。从实际教学中来看,学生在这个环节中学得既开心,又有效率。正是由于科学概念与实践体验的紧密结合,学生对于杠杆省力、费力原理的理解大大深化了。

附:学生实验记录单(见表1)。

表1 学生实验记录单

实验顺序	支点到用力点的距离	支点到阻力点的距离	物重(钩码数)	拉力(钩码数)
1				
2				
3				
4				
5				
6				

《点亮小灯泡》教学设计

任　杰[①]

一、教学内容

小学科学教科版四年级下册教科书第5～6页。

二、教学目标

科学概念：①知道只有电流流过灯丝时小灯泡才会发光；②初步认识电路的意义，即利用电来点亮一只小灯泡需要一个完整的电路；③认识到一个完整的电路可以使用相同的材料，用不止一种方法建立起来，以及断路、短路对电路的影响。

过程与方法：①连接简单电路；②观察、描述和记录点亮小灯泡的实验现象；③根据实验现象对电流的流向做出大胆的想象和推测。

情感、态度与价值观：①体验对周围事物进行有目的的、细致的观察的乐趣和合作成功的喜悦；②增强学生进一步探究电的兴趣；③培养学生节约用电、安全用电的意识。

三、教学重点

正确连接电路。

四、教学难点

正确认识小灯泡的结构，正确连接小灯泡。

① 任杰，男，本科学历，合肥市淮合花园小学高级教师，校长。主讲课程：小学科学。

五、教学准备

分组材料:1只小灯泡、1节1.5伏干电池、1根导线、实验记录单。
演示材料:教学课件、小灯泡解剖模型、干电池模型。

六、教学过程

(一)创设情境

观看上海灯光秀的视频,学生谈感受。教师提问:这些美丽的灯光是用千千万万的小彩灯共同展示出来的,那么,它们是怎么发光的呢?今天这节课我们就来研究如何点亮一个小灯泡。

板书:

点亮小灯泡

(二)探究新知

1. 了解小灯泡的结构

师:在点亮小灯泡之前,我们先认识一下小灯泡。请每个小组成员仔细观察小灯泡,看一看它是由哪些部分组成的?把你观察的结果标注在实验记录单(一)上。

预设:学生观察实物小灯泡及示意图。(观察好的请举手。)

师:谁来把你的发现向同学们介绍一下?(对照灯泡模型进行汇报。)

教师出示课件,介绍小灯泡的结构。

2. 认识电池和导线

师:点亮小灯泡需要电池和导线。你对电池和导线有什么了解?给大家说一说。

学生交流、汇报。

师:电池上面像小帽子的一端是电池的正极,人们用“+”表示正极,平平的一面叫负极,用“-”表示,正极和负极合在一起称为“两极”。

导线一般由一层绝缘的橡胶外皮和能导电的金属丝组成。

3. 尝试点亮小灯泡,并记录连接方法

(1)各小组尝试连接电路,并将连接方案记录在实验记录单(二)上。(学生开展实验并记录,教师巡视指导。)

(2)交流方案。让多名学生上台用灯泡模型展示不同方案,并贴在黑板上,标上组号。

(3)让学生总结能点亮小灯泡的电路连接有什么共同点。学生分小组讨论、汇报,大胆设想电路的电流流向。

(4)教师小结:大家的观点有少许的不同,老师概括你们的意思大概是这样的:电流从正极流出,进入第一个连接点,然后经过金属支架进入灯丝,使灯丝发光,再经过金属支架到达另一个连接点流出,顺着导线又流回到电池的负极,形成了一个完整的回路。(应该科学地表述。)

板书:

电池的两极分别连接两个连接点

4. 认识断路、短路

分析学生的一些错误连接方案,如断路、短路,先由学生分析,再实验验证。

5. 对学生进行节约用电、安全用电教育

师:大家刚才关于安全用电的知识讲得非常好,老师这里有一张电费单(课件出示电费单),老师这个月用了多少度电?(点名回答,接着算出电费。)老师想把电费降下来,省点钱,你们有好建议吗?

同学们用科学而又准确的语言解释灯泡发光的原因。我们生活在电器化时代,处处有电器、有电源,你知道安全用电的知识吗?发电厂发出的通过导线送到各家各户的电是220 V交流电,这是足以引发触电事故、致人死亡的电,所以我们能不能直接用家里、学校里插座中的电做实验?

(三)布置作业

师:老师给大家布置一个作业,之前大家看到了魔幻七彩的上海灯光秀,我们做不出那样的效果,但可以用图画笔突出几种颜色的小灯泡,做出各种各样的小灯泡,并尝试点亮,下次课上我们来展示。

七、板书设计

点亮小灯泡

电池的两极分别连两个连接点

附:实验记录单(见表1、表2)。

表1 实验记录单(一)

<table>
<tr><td>课题</td><td colspan="3">点亮小灯泡</td></tr>
<tr><td>班级</td><td></td><td>记录员</td><td></td></tr>
<tr><td>实验要求</td><td colspan="3">认真观察小灯泡,并写出小灯泡各部分名称</td></tr>
<tr><td colspan="4"></td></tr>
</table>

表2 实验记录单(二)

<table>
<tr><td>课题</td><td colspan="3">点亮小灯泡</td></tr>
<tr><td>班级</td><td></td><td>记录员</td><td></td></tr>
<tr><td>实验要求</td><td colspan="3">小组讨论、画出能点亮小灯泡的导线连接方案</td></tr>
<tr><td colspan="4"></td></tr>
</table>

《溶解的快与慢》教学设计

刘　虓[①]

一、教材内容

《溶解的快与慢》是小学科学教科版四年级上册《溶解》单元第五课时的内容。

二、教材分析

通过本单元前几节课“水能溶解一些物质”“物质在水中是怎样溶解的”“液体之间的溶解现象”“不同物质在水中的溶解能力”的学习，学生已经初步掌握了溶解的概念，同时在学习中注意到了溶解的快慢这个问题。本节课基于对这个问题的研究，指导学生运用对比实验的方法，探究影响物质溶解快慢的主要因素，让学生经历“问题—假设—验证—证实”的科学探究过程，为以后设计科学探究实验打下基础。

三、教学目标

知识与技能：学生了解可溶性的固体物质在水中溶解的快慢与物体颗粒的大小（即表面积的大小）、水的温度以及混合溶液是否被搅动等因素有关。

过程与方法：学生经历“问题—假设—验证—证实 ”的科学探究过程和控制单个变量进行对比实验的过程。

情感、态度与价值观：学生发展公平实验的意识，体验研究影响溶解快慢因素的乐趣。

① 刘虓，男，大专学历，太和县第十一小学高级教师。主讲课程：小学科学。

四、教学重点

了解可溶性的固体物质在水中溶解的快慢与物体颗粒的大小、水温及是否被搅拌等因素有关。

五、教学难点

科学探究过程和控制单个变量进行对比实验的过程。

六、教学准备

小组准备：2个烧杯、1根玻璃棒、冷水、热水、食盐、水果糖、方糖。

七、教学过程

（一）创设情境，引入新课

（1）师：同学们，这是一杯纯净水，这是一颗水果糖，现在我把糖放到水里，你们猜一猜杯里的水甜不甜？（预设：不甜或没有味道。）水中放入了糖，怎么会不甜呢？（糖还没有溶解。）请大家帮老师想想办法，让我能较快喝到香甜的糖水。

（2）预设：用筷子搅拌，把纯净水换成热水，把水果糖捣碎，放在热水里再用筷子搅拌……

（3）教师板书：

搅拌、加热（热水）、捣碎……

（4）师：同学们想出了这么多办法，真是令老师佩服，你们的这些办法是不是真的有效呢？这节课我们就来研究这个问题：溶解的快与慢。（板书课题。）

（二）设计方案，实验探究

1. 以搅拌实验为例，探讨实验方法

师：我们都知道猜想是科学发展的前奏，我们已经踏出了非常精彩的一步，但是，这些猜想是正确的吗？有效的吗？现在我们就来验证这些猜想。我们先来验证第一个猜想：搅拌能加快物质的溶解。老师为大家准备了食盐，你准备用什么样的实验来验证搅拌能加快溶解？我们的科学书上对这个实验做了专门的讲述,请大家翻开课本第31页。现在我们一起来仔细看一看课文中的第二自然段。

请大家仔细观察,在这个实验中我们要用到几个杯子?(两个。)用两个杯子的目的是什么?(进行比较。)对,我们今天进行的就是对比实验。

板书:

相同条件　不同条件

请同学们再次读一读第二自然段,从中找出做实验时,两个杯子里有哪些相同的条件,还需要什么不同的条件,并记录下来。

学生汇报,教师进一步完善记录结果。

相同的条件:水量相同、盐量相同、温度相同、同时放盐、观察时间相同。

不同的条件:一杯搅拌、一杯不搅拌。

师:下面请组长来领取实验器材。请同学们按照我们刚才的实验方案严格控制条件,开始小组实验,并完成实验记录单。

(组长领取实验器材,学生分组实验,教师巡视。)

学生汇报,得出结论:搅拌能加快食盐的溶解。

2. 分别探究"加热能否加快物质的溶解"与"捣碎能否加快物质的溶解"

师:下面我们要验证"加热能否加快物质的溶解"与"捣碎能否加快物质的溶解",为了节约时间,这两个实验我们分组进行:一、二组探究"加热能否加快物质的溶解",老师为你们提供的溶解物质是食盐;三、四组探究"捣碎能否加快物质的溶解",老师为你们提供的溶解物质是方糖。在实验前,老师还是想请同学们思考一下你们的猜想是什么,然后你要完成的实验中有哪些相同条件和不同条件。(小组讨论。)

学生汇报,教师进一步完善。

师:大家注意到没有,我们填的两张记录单中,不同条件有几个?

生:一个。

师:为什么只有一个?如果不同的条件多了,这个实验还公不公平?而且这样我们也不知道这个溶解的快与慢究竟是哪个条件引起的,对不对?所以我们做实验的过程中要严格控制实验的条件。下面请组长来领取实验器材。

(组长领取实验器材,学生分组实验,教师巡视。)

学生汇报,得出结论:加热能加快物质的溶解,捣碎能加快物质的溶解。

师:大家的实验都完成得非常好。我们通过三个实验,证明了搅拌、加热、捣碎都能加快物质的溶解，三个什么实验呢？

生：对比实验。

师：并且，在实验中我们找出了相同条件和不同条件，而且我们还知道了对比实验的不同条件只能有一个。

（三）结合生活，拓展探究

师：现在让我们再回到课前提出的问题上，同学们能不能快速制作一杯糖水？（能。）你们准备怎么来做？（学生汇报。）好，请组长来领取材料，开始制作。

（学生领取材料，分组进行制作。）

（四）联系生活，总结回顾

师：在生活中我们经常会用到这些加快溶解的方法，比如我们喝的速溶咖啡、感冒冲剂等，都是小颗粒状的，就是为了加快溶解的速度。所以，只要做个有心人，我们就会发现科学就在我们身边。现在我们再来回顾今天这节课的收获，谁来说说自己的收获？

（五）作业设计

今天我们有三组对比实验，为了节约时间，各组同学都只做了两组。没做的实验请同学们在家里完成。

八、板书设计

搅拌
热水 } 加快物质的溶解　　对比实验 → 相同条件
捣碎　　　　　　　　　　　　　　　→ 不同条件（1个）

九、教学反思

兴趣是学生最好的老师，所以，在本节课中，我通过创设情境激发学生的学习兴趣。学生是学习的主体，老师只是起一个引导作用，所以，我适当引导学生，尽量让学生自主探究实验，获取新知识。而学生在学习过程中积极思考，在探究活动中进行组内合作，相互交流，相互讨论，加强了团队合作精神，提高了自身的科学探究能力。

（一）设置情境，提出问题

本节课一开始，我就出示一杯纯净水，然后放入一颗水果糖，让学生猜一猜杯里的水甜不甜。学生猜测之后，让一位学生亲口尝一尝，发现水不甜，进而提出问题：水中放入了糖，怎么会不甜呢？（糖还没有溶解。）以此引起学生的思考，激发学生的学习兴趣，为下面的探究活动打下基础。

（二）顺水推舟，假设方法

接着我请学生想想办法，怎样能较快喝到香甜的糖水？基于学生的生活经验，他们一般都能提出捣碎、加热、搅拌这三种方法，有的还知道把三种方法综合使用。

（三）因势利导，进行验证

这一过程分四步，第一步：以搅拌实验为例，探讨实验方法。对于四年级的学生来说，独立设计实验方法不太可行。因此，我让学生先看书上对这个实验的描述，并结合书上的插图，提醒学生仔细观察，提出问题：在这个实验中我们要用到几个杯子？（两个。）用两个杯子的目的是什么？（进行比较。）然后告诉学生我们今天进行的就是对比实验。（并且进行板书。）请同学们再次读一读课文第二自然段，从中找出做实验时，两个杯子里有哪些相同的条件，还需要什么不同的条件，并记录下来。然后组织学生进行交流，明确相同条件和不同条件，为后面进行实验打好基础。第二步：学生进行实验，得出结论：搅拌能加快食盐的溶解。第三步：以同样的方法步骤，分别进行“加热能否加快物质的溶解”与“捣碎能否加快物质的溶解”实验，并得出结论。第四步：引导学生归纳总结什么是对比实验，明白对比实验的不同条件只能有一个。

（四）结合生活，拓展探究

在学生经历了比较科学、规范的对比实验活动过程之后，我让他们再回到课前提出的问题上，试着快速制作一杯糖水。学生自然能够学以致用，运用学到的知识完成这个任务。

(五)联系生活，总结回顾

在探究活动结束后，我会介绍在生活中用到的一些加快溶解的方法，比如我们喝的速溶咖啡、感冒冲剂等，都是小颗粒状的，冲牛奶和咖啡时会搅拌，都是为了加快溶解的速度。提醒学生科学就在我们身边，要在生活中做个有心人。最后，我让学生说说自己的收获，以达到复习回顾的目的。

总之，本课以科学学习要以探究为核心的理念，设计学生的探究过程。整个活动以学生动手为主，给了学生一个自由活动的空间，让学生在自主探究中经历发现的过程。全员参与、合作完成，促进了学生之间的交流和团结协作。

附：实验记录单(见表1、表2)。

表1　实验记录单(一)

研究问题	搅拌能否加快物质的溶解
我的猜想	
不同条件	
相同条件	
溶解程度	搅拌(快/慢)　　不搅拌(快/慢)
研究结论	搅拌(能/不能)加快溶解

表2　实验记录单(二)

研究问题	加热能否加快物质的溶解	捣碎能否加快物质的溶解
我的猜想		
不同条件		
相同条件		
溶解程度	热水(快/慢)冷水(快/慢)	捣碎(快/慢)　　不捣碎(快/慢)
研究结论	加热(能/不能)加快溶解	捣碎(能/不能)加快溶解

《空气占据空间吗》教学设计

李长育[①]

一、教材内容

《空气占据空间吗》是小学科学教科版三年级上册第四单元中的第六课。

二、教材分析

本课是在学生通过1～5课的学习，对水和空气有了认识和了解的基础上进行教学的。在实际的教学中，考虑到三年级上学期学生刚接触科学这门学科的实际情况，在尊重教材编写意图的基础上，我对各个活动进行了适当的调整和处理。在教学设计中增加了两个活动，删除了一个活动。增加的第一个活动是认识什么是占据空间。增加这一个活动的目的是考虑到三年级学生在学习本课以前并没有直接涉及"占据空间"这个概念，而本课又是紧紧围绕"占据空间"在做文章，所以有必要在教授新课之前引导学生知道什么是"占据空间"。增加的第二个活动是乒乓球能停在矿泉水瓶内的任意位置。目的是让学生理解空气被密封在一个空间里，占据着空间，空气不流出，乒乓球就不会上升。删除的一个活动是空气占据空间的多少可以变化吗。

三、学情分析

三年级学生刚接触科学课，操作能力还不够成熟，需要老师细致地指导。在学习过程中，对于那些平时动手能力比较弱的学生，应鼓励他们大胆动手，勤于思考，使他们积极参与整个探究活动；而对那些动手能力强的学生，则要引导

① 李长育，男，专科学历，合肥市朝霞小学高级教师。主讲课程：小学科学。

他们学会合作，学会交流。首先创设情景，聚焦本课的探究问题：空气占据空间吗？通过两个简单的活动引入，让三年级的学生理解“占据”和“占据空间”的意思。在杯子里装满沙子，帮助学生理解沙子占据了杯子的空间，即思维可视化。然后进行小组交流，看看每个小组知道多少关于占据空间的事情。结合三年级学生的认识特点，我们设计了比较完整的导学支架——“气泡网状图”，让学生以学习共同体为单位进行梳理，形成一种比较系统科学的认识。最后展示各学习共同体的梳理成果，并在交流中产生更多的问题，尤其是新的探究问题，从而引入下一个探究活动。

四、支架设计

支架设计见图1所示。

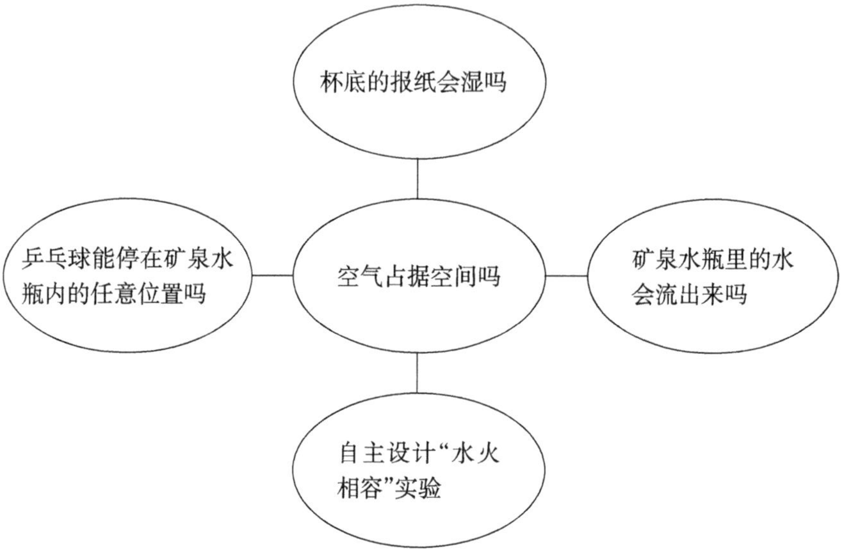

图1　《空气占据空间吗》教学支架设计

五、教学目标

科学概念：空气占据空间。

过程与方法：用实验方法证实空气确实占据空间，在事实的基础上进行预测、观察和解释。

情感、态度与价值观：培养与他人合作的良好习惯，形成尊重事实、实事求是的科学态度。

六、教学重点

探究空气占据空间。

七、教学难点

探究空气占据空间。

八、教学准备

分组材料:1个矿泉水瓶、2根吸管、1块橡皮泥、1个水槽、1个一次性塑料水杯、1张报纸、1个去底的带盖矿泉水瓶。

演示材料:1个装满水的矿泉水瓶、1个装满沙子的水杯、1个乒乓球、1个去底的带盖矿泉水瓶。

九、教学过程

(一)导入活动

(1)教师出示装满水的矿泉水瓶,问学生瓶里有什么。(学生答是水。)引出科学概念,用科学的话说,应该是:水占据瓶子的空间。

板书:

占据

教师再出示装满沙子的杯子,问学生,学生很快答出:沙子占据杯子的空间。

(2)活动引出探究的问题。

出示乒乓球和去底的矿泉水瓶问学生:如果我把乒乓球放在水面上用这个去底的矿泉水瓶把它罩住后再往下按会发生什么情况?为什么?学生有两种观点:一种是乒乓球会上来(多数人的观点),一种是乒乓球不会上来。再分别请具有不同观点的学生说说为什么这样想。在学生的猜想和期待中,老师演示实验结果。学生看到结果后可能会说出原因:因为空气占据了空间。于是我接着问,空气真的能占据空间吗?想不想亲自探究一下?引出本节课探究的内容,并板书:

空气占据空间吗?

(二)合作探究

第一个活动：乒乓球能停在矿泉水瓶内的任意位置吗？

教师实验，乒乓球沉在瓶底。

师：现在老师有个任务，你们如何使这个乒乓球从瓶底慢慢浮上来，分别停留在瓶下、瓶中、瓶上，并想一想，这说明了什么？

学生探究活动。学生分小组带着任务进行探究，教师个别指导。

首先让学生说说水为什么不能流进瓶子里。(解释原因。)有部分学生能够猜测，在密封的瓶子里，水是流不进去的。然后教师让学生讨论怎样让乒乓球停在瓶里的不同高度。学生讨论，教师个性化指导。最终让学生知道：只有让空气出来，水才能进去了，把瓶盖慢慢打开，控制空气的流出量，从而控制乒乓球在瓶子里的高度。

第二个活动：杯底的报纸会湿吗？

首先出示水槽、报纸、一次性水杯，然后分小组讨论，用现有的材料怎样才能证明空气占据空间，最后教师归纳学生的方法。学生根据各小组自己讨论的方案进行实验，结果纸巾没湿。这个实验就证明了：空气占据空间。

交流研讨：怎么才能让杯子里的空气出来呢？学生探讨出方案，然后进行实验验证。

(学生可能会提出两种方法：一种是杯子倾斜；一种是在杯底打个小洞。)

(三)提升延伸

矿泉水瓶里的水会流出来吗？

在这个活动中，用乌鸦喝水的多媒体动画引入，让学生明白乌鸦用石子占据水的空间，所以能将水挤出来。那么，如果现在旁边没有石子，只有两根吸管、一块橡皮泥，你们能不能利用空气，将水从瓶子里挤出来呢？在学生设计实验方案时，遇到困难，可以提示学生结合平时喝盒装饮料的经验进行思考，再根据学生的汇报归纳出实验步骤。学生根据实验步骤进行实验操作。

(四)小结拓展

首先让学生畅谈收获，然后拓展教学：请同学们利用空气占据空间的知识设计一个“水火相容”的实验。

十、板书设计

6 空气占据空间吗

乒乓球能停在矿泉水瓶内的任意位置吗?

杯底的报纸会湿吗?

矿泉水瓶里的水会流出来吗?

设计“水火相容”实验。

《馒头发霉了》教学设计

薛良保[①]

一、教材内容

本课是小学科学苏教版六年级上册第一单元《显微镜下的世界》中的第三课。

二、教材分析

教材选用日常生活中常见的“发霉的馒头”作为探究材料,意在激发学生对霉的探究兴趣,并以此作为探究课题,引导学生走进并了解霉菌家族。教材分为四个部分,将书本知识与实际生活相结合,体现科学源于生活又服务于生活。本课的学习,让学生在了解霉的基础上,探究霉菌产生的条件,研讨怎样防霉,了解霉的功与过,加深学生对霉的认识。

三、学情分析

在学习这些内容之前,学生对于霉菌产生的条件有了一定的认识,同时也存在着一些疑问:霉的产生与温度有关,与光线有关,与湿度有关,还是与几个因素都有关?本课的学习,就是要让学生在了解霉的基础上,探究霉菌产生的条件,研究霉的产生到底与哪些因素有关系。具体做法是通过设计对比实验来验证。

---

① 薛良保,男,中师学历,马鞍山市年陡中心学校高级教师,副校长。主讲课程:小学科学等。

四、教学目标

(1)知道发霉的原因以及霉菌对人类有正、反两方面的作用,了解防止食物和物品发霉的方法。

(2)能够利用显微镜观察物品上的霉,并能通过图画、文字、语言等描述霉的样子。

(3)能够设计对比实验,探究物体发霉的基本条件。

(4)学生在活动中,体验探究、发现奥秘的乐趣。

五、教学重点

探究在什么情况下物体容易发霉。

六、教学难点

设计有控制变量的探究实验。

七、教学准备

发霉食物、放大镜、显微镜、霉菌标本、粘贴纸、观察记录表。

八、教学课时

两课时,其中第二课时隔一周再上。

九、教学过程

第一课时

(一)导入活动

(1)谈话:课前,老师让同学们准备一块馒头或橘子,想办法让它长毛,你们做了吗?

(2)提问:你们知道馒头或橘子上长的是什么吗?

(3)学生回答。

(4)教师小结:同学们都知道馒头长毛就是馒头发霉了。那么,霉到底是什么呢？这节课，我们就一起来研究它。

板书：

馒头发霉了

(二)观察馒头或其他物品上的霉

(1)拿出事先已经发霉的馒头或橘子，指导学生先用肉眼观察，再用放大镜观察，并填写观察记录表(一)(见表1)。

表1 观察记录表(一)

物品	馒头	橘子
气味		
颜色		
霉的形状		

(2)学生利用显微镜观察霉，并画一画，进一步认识霉。

(这一环节的重点是观察霉的外形。为了节省时间，教师事先将霉菌培养好，将显微镜调整好，学生就可以直接观察记录了。)

(3)学生展示并介绍观察结果。课件提供视频链接《食物上的霉菌》。

(4)在观察的基础上提问：你认为它们是有生命的吗？怎么证明？

(霉是有生命的，从无到有，从少到多，可从以前学过的对生命的认识入手。)

(5)教师小结：霉是一种生物，它非常小，用眼睛很难直接看清，必须借助显微镜，所以叫它微生物。霉的种类很多，颜色各异，有青绿色、黄色、黑色、白色等，形状有绒毛状、蛛网状、絮状等，在空气、土壤、动植物体内以及食物中都可以找到它。

(三)猜测霉的产生条件，引导设计实验方案

1. 引导假设

(1)过渡设疑：刚才，我们了解了霉的颜色和种类。那么，在哪些条件下馒头容易发霉？请大家回想一些物品发霉的事例及其环境条件，大胆猜想在什么条件下物品容易发霉。小组讨论并记录下来。

(2)小组汇报，猜想结果，讨论猜想结果的可能性。

2. 设计实验方案

(1)讲述：刚才同学们猜测了霉的产生条件。这些猜想是否正确，我们必须通过实验来验证。

(2)提问:说说如何设计对比实验?(此问主要了解学生对对比实验的了解,以便后面的针对性教学。)

(3)依据学生猜想的结果,引导学生选择对比条件。

(必要时提示:为了判定霉菌是否在温暖、潮湿的条件下容易生长,可找出与之相反的环境条件,如寒冷和干燥,并对这四种环境条件进行组合:①温暖和潮湿;②温暖和干燥;③寒冷和潮湿;④寒冷和干燥。)

(4)学生根据猜想进行组合,确定可行的实验方法。

(5)教师巡视,相机个别指导。

(6)展示交流,适度评价。

(7)小组确定并完善实验方案。

(四)课堂总结

(1)提问:学习本课后,你有什么收获?

(2)学生之间相互质疑。

(3)教师小结并布置课外探究活动:这节课,我们探究了馒头上的霉,知道了霉的颜色、种类有很多,还设计了对比实验方案。课后,请同学们认真地做好对比实验,并做好观察记录。

(五)课外延伸

整理实验方案,做对比实验,并填写观察记录表(二)(见表2)。

表2 观察记录表(二)

假设的条件		实验方法	实验结果(观察记录)					
不同条件	相同条件		1天	2天	3天	4天	5天	6天

第二课时

(一)导入活动

(略。)

(二)汇报并展示探究结果

(1)小组汇报实验过程及结果。

(2)评价及小结:食物及其他物品在温暖和潮湿的条件下最容易发霉。

(三)了解防止食物和物品发霉的方法及其中的道理

(1)提问:在日常生活中,霉经常给我们带来一些不便和损失。通常我们怎样防止食物和物品发霉呢?

(2)学生交流自己会用的一些办法。

(启发学生根据发霉的条件,设想防止发霉的方法。)

板书:

真空包装　放干燥剂　低温冷藏　太阳暴晒

(3)提问:为什么用这些方法可以防止食物和物品发霉呢?

指导学生说出防霉方法的依据是什么。教材中第一幅图为真空包装的肉制品。真空包装的目的在于杀菌后使食物与空气中的菌类隔绝,防止食物被污染,以便长期保存。第二幅图是装有干燥剂的食品盒。干燥剂可以保持食品盒内干燥,使霉菌不易生长。第三幅图是装有食物的冰柜。说明用低温冷藏的方法可以防霉,原因是霉菌不易在低温环境下繁殖。第四幅图是挂在阳光下的衣物。说明阳光可以杀死霉菌。这些不是学生的研究结论可以解释清楚的,不必去深究。如学生提出,我们可做适当补充。

(四)组织学生阅读资料——霉的功与过

(1)讲述:关于霉,大家或许还想知道更多。那就请你们阅读教材第10页上的资料,进一步了解有关霉菌的知识并进行交流。

(2)教师适当补充"弗莱明与青霉素"的资料,帮助学生拓宽对霉菌的了解,感受青霉素发现的伟大。(展示课件资料。)

(五)课外延伸

上网查阅资料,继续了解有关防霉、利用霉的知识,加深对霉的认识。

《日食和月食》教学设计

唐　梅[①]

一、教材内容

本节内容选自小学科学教科版六年级下册第三单元《宇宙》的第四课。

二、教材分析

日食和月食本是月球公转时出现的两种特殊的自然现象，但在遥远的古代，由于生产力水平低，人们无法解释这些自然现象。本课就引导学生在分析现象的基础上，用科学的方法来认识这两种现象的形成，从而揭开宇宙的奥秘，养成科学地看问题、想问题的良好习惯，保持和发展对研究宇宙天体的好奇心和求知欲。

三、学情分析

六年级的孩子对科学课程已经很熟悉了，他们能够清晰地说出科学探究的几个步骤，也能设计出合理的探究方案，但是毕竟孩子们的知识水平是有限的，对于日食和月食形成原因的理解还是有难度的。因此，学生对于日食和月食的理解还局限于现象本身和各种传说，缺乏相应科学证据的支持。同时，由于太阳、地球和月球本身太过庞大，直接用它们来进行实验展示是不可能的事情，但是缺乏相应的直观证据，学生又难以理解，因此，在这节课的教学过程中，不仅用三球仪进行日食和月食的模拟实验，还精选了日食和月食形成原因的视频，让学生在模拟实验的基础上再观看视频，就能更好地理解日食和月食的形成原

① 唐梅，女，本科学历，合肥市桂花园学校（东区）一级教师，高新区小学科学兼职教研员。主讲课程：小学科学。

因和形成过程了。

四、教学目标

科学概念：①日食和月食是太阳、地球、月球三个天体运动形成的天文现象。②日食是月球运行到太阳和地球中间，地球处于月影中时，因月球挡住了太阳照射到地球上的光而形成的；月食则是月球运行到地球的影子中，地球挡住了太阳射向月球的光而形成的。

过程和方法：①能运用已有知识对问题进行猜想。通过实验获得事实证据，反思自己的探究过程，将研究结果与假设相比较。②运用模拟实验的方法研究日食和月食的成因。对模拟实验中的现象进行细致的观察，并根据模拟实验中的现象进行逻辑推理，推测日食和月食的成因。③用多种方式表达研究成果。

情感、态度与价值观：①体验科学实验的严谨、客观和乐趣，意识到设计科学研究方案的重要性；②认识到模拟实验与推测和客观真实是有一定差距的，意识到天文现象是可以被人们认识的。

五、教学重点

日食和月食是太阳、地球、月球三个天体运动形成的天文现象。

六、教学难点

根据模拟实验中的现象进行逻辑推理，推测日食和月食的成因。

七、教学准备

(1)准备有关日食和月食信息的图片、视频等资料。

(2)为每组学生准备三球仪模型、观察记录表。

(3)要求学生在课前收集有关日食和月食的信息。

八、教学过程

(一)导入

师：亲爱的孩子们，欢迎你们再次来到神奇的科学殿堂！你们听说过“天狗食月”吗？能和同学们分享一下你知道的故事吗？

学生分享、交流自己知道的有关天狗吃月亮的故事。

师:“天狗食月”的故事是真实存在的吗？其实这只是一种自然现象,叫作月食。今天我们一起来学习关于月食的知识。

学生在教师的引导下,进入新课内容的学习。

(设计意图:“天狗食月”的神话故事能够激发学生的学习兴趣。)

(二)月食

师:“天狗食月”在科学上有专业的名字——月食,我们先来看一看月食是怎样形成的吧!

学生在教师的引导下,开始学习月食的教学内容。

师:我们一起来看一个传说中的“天狗食月”的视频吧！在观看视频的过程中请仔细观察天狗吃月亮发生的全过程,看完之后,说一说你有什么发现。

教师播放视频:《月食过程》。

学生认真观看视频,仔细观察在月食过程中,月亮的变化规律。

(设计意图:将“天狗食月”科学化,视频资料更能集中学生的注意力。)

师:看完视频,你有什么发现呢?

学生交流自己在观看视频过程中的发现。

达成共识:在月食的形成过程中,月亮好像慢慢地被一个球形的物体挡住了,然后球形物体又慢慢移开了……

师:事实真的像你们推测的那样吗？我们怎样验证自己的推测是不是正确的呢?

生1:能做个实验验证一下就好了。可是月亮那么大,怎么做实验呢?

生2:我们可以做个模拟实验啊!

师:如果我们要模拟月食形成的大致过程,需要哪些材料？你准备怎么做?

学生分组设计、完善模拟实验的方案,列出所需要的实验用具。

师:请每个小组分享一下自己的实验方案吧,并列出你们所需要的实验材料。

学生分组汇报自己的实验方案,在倾听其他小组实验方案的基础上,再次修改完善自己的实验方案,达成共识。

教师补充,强调注意事项。学生领取实验材料,进行模拟实验,并完成实验记录表。教师投影每个小组的实验观察记录表，并邀请各小组成员进行汇报交流。

师：月食形成的过程是不是真如同学们实验的那样呢？我们来看看科学家的解释吧！(播放视频《月食形成的过程》。)

学生观看月食形成的过程，与自己的实验过程和结果进行对比。

师：原来你们的做法和科学家一样，只是科学家用的仪器更加先进，可见，你们都具有科学家的潜质，明天你们可能就是伟大的科学家了，祝贺你们！

学生在教师鼓励下，完成对月食相关内容的学习。

(设计意图：用实验验证自己的假设，更具说服力。将学生与科学家联系在一起，有助于激发学生学习科学的热情。)

(三)日食

师：我们已经知道月食形成的原因了，那么日食又是怎么形成的呢？我们先来看看什么是日食吧！(播放视频《日食》。)

学生观看日食的视频，并与月食进行比较，进而推测日食形成的大致过程。

师：同样，你们能不能根据月食形成的过程，直接画出日食形成过程的示意图？

学生分组完成日食形成过程的示意图。

师：我们一起来看看科学家是如何解释日食现象的吧！(播放视频《日食形成的原因》。)

学生观看视频，验证自己的推测是否正确。

师：关于日食形成过程，由于时间原因，我们将不再进行实验验证了，我们来看一个动态演示吧！

学生观看动画，了解日食和月食形成的原因。

(设计意图：学生练习迁移学习：由月食的形成原因迁移到日食的形成原因。)

(四)小结

师：同学们，今天的课就要结束了，你现在知道日食和月食形成的原因了吗？

学生小结本节内容。

师:播放动画,加深学生对日食和月食形成原因的理解。

(五)拓展

师:请同学们课下查阅资料:为什么有日环食现象而没有月环食现象?

学生课下完成拓展作业。

九、教学反思

日食和月食是小学科学教科版六年级下册第三单元《宇宙》的第四课的内容。在进行这一课的教学之前,我曾与部分同学进行过交谈,发现孩子们都知道有日食和月食的现象,但是对于日食和月食的发生时间、发生时的特征、日食和月食的种类等都知之甚少。

本课教学主要通过模拟实验,引导学生借助逻辑思维进行分析,从而了解日食、月食形成的原因、时间等相关知识。作为教学手段,模拟实验再现日食、月食发生时的情境,同时引导学生分析并理解成因,是本课教学活动的重点和难点。

在教学中,我将重点放在了月食成因的探索上,日食成因则是让学生在月食成因的基础上进行推想。这样处理的原因是学生对"天狗食月"这个神话故事很感兴趣,并且关于月亮的神话故事也很多,学生的兴奋点多,兴奋性也高。

月食成因的教学分为四个步骤:第一步是用故事引入,视频演示月食的过程,使学生知道什么是月食的过程,为学生认识月食成因提供必需的事实材料;第二步是结合视频动画的演示,启发学生在事实的基础上思考月食是哪个天体挡住了太阳的光辉,逐步引导学生推想出是地球挡住了太阳的光辉;第三步,引导学生通过模拟月食成因的实验,证明上面的推想,同时明确月食时地、日、月的位置关系;第四步,启发学生根据以上研究推想月食成因,并播放科学家对月食成因的解释,将学生与科学家进行比较,进而激发学生热爱科学、热爱探究的热情。

经过了教师"扶"的过程(月食的成因),对于日食的成因就可以完全让学生自行猜想,并让他们画出日食的成因图,最后播放科学家的权威"发言",这样学生就了解了日食的形成。事实也证明,学生懂得举一反三,活动开展得较好。最后,补充一些多媒体图片、录像资料,让学生再次重温日食、月食发生时的壮观景象,以增加印象,激发兴趣。

拓展作业是为了给那些意犹未尽的孩子补充一些“食物”，让他们在精力允许的前提下“吃饱、喝好”！

附：学生实验记录单。

实验记录单：日食和月食的形成原因

组别：____________组员：______________时间：_____________

1. 月食形成的原因

（请你画出形成月食的示意图。）

2. 日食形成的原因

（请你根据月食形成的原因，推测日食形成的原因，并画下来。）

《食物包装上的信息》教学设计

岳一光[①]

一、教材内容

《食物包装上的信息》是小学科学教科版四年级《食物》单元的最后一课，由“观察食物包装”“比较几种食品的保质期”“调查了解食品的配料”三部分内容组成。

二、教材分析

在进行教学设计的时候，按教材将课堂活动主要分为三个环节，即“观察食物包装”“比较几种食品的保质期”“调查了解食品的配料”。

其中，“观察食物包装”又分成“食物需要包装”“食物包装上有哪些信息”“给食物包装上的信息分类”三个部分，旨在引导孩子们有意识地观察食物包装上的信息，并从中获得一些有价值的信息，发展孩子们搜集、整理、分析信息的能力。在最后的延伸拓展环节“处理包装袋”上，提醒学生关注环境保护。“比较几种食品的保质期”分为“学会看生产日期和保质期”“影响保质期的因素”“按实际情况选择保质期长短不同的食物”三个部分。“调查了解食品的配料”分为“对照膳食宝塔图认识有营养的配料”“学看营养成分表”“食品添加剂”三个部分。

本课在单元结构上依赖于前六课的教学，是学生在探究储存食物方法中延伸出来的一个观察活动。如知识上的有关营养成分、减慢食物变质的方法及霉菌生长条件的内容，方法上的记录整理、统计分析、描述交流、归纳综合，以及情

① 岳一光，男，淮南市毛集实验区实验小学一级教师。主讲课程：小学科学。

感上的注意观察周围事物的习惯、关注身边的科学等,都是对前几课内容上的继承、综合和发展。纵观整篇教材,会发现教材本着始终让学生自己观察、自己发现问题、自己分析整理并解决问题的原则,培养学生观察、收集、分析、整理信息的能力,使科学教学“以学生为主体”的理念得以真正体现。

三、教学目标

科学概念:观察食物的包装,可以获取食物的有关信息,便于我们了解食物的营养成分、配料、保存方法等。

过程与方法:①根据食物的保质期、配料表等信息,正确选择合适的食品。②在观察食物包装信息的活动中,提高分析处理信息的能力。

情感、态度与价值观:①在了解食物包装信息的活动中,加强学生关注自身健康生活的意识。②让学生在关注食物包装上更多的有价信息的同时,培养学生的环境保护意识。

四、教学重点

培养学生的观察能力、信息整理能力。

五、教学难点

会比较几种食物的保质期、配料,正确选择合适的食物。

六、教学准备

小组准备:同一牌子不同类别的牛奶包装及其他各种食品的包装、科学记录卡。

演示准备:电子白板、课件。

七、教学过程

(一)导入新课

(1)出示一瓶无包装的水。提问:你知道这是一瓶什么水吗? 你怎么知道的? 再出示一瓶可乐,提问:这是什么? 你怎么知道的?

(2)提示课题:看来食物包装非常重要,它能让我们了解我们想要知道的信息。今天我们就来研究食物包装上的信息。(板书课题。)

(设计意图:教学从学生最熟悉的饮料开始,拿没有包装的饮料让学生猜,当学生不确定时,问学生要不要尝一尝。提示学生在不确定是安全的食物时不可以轻易去尝。再出示一瓶可乐,通过这两瓶饮料的对比,认识到食物的包装是必需的,我们能从食物包装上寻找到我们需要的信息。)

(二)学习新课

1. 观察食物包装,了解食物包装上有哪些信息

(1)教师讲述:老师给每个小组都准备了食物。下面我们就来观察一下食物包装上会有哪些信息,并把观察到的信息分一分类。

(2)学生自由回答,教师用电子板书出示信息名称。

(3)学生讲述分类。

仔细观察食物的包装袋,你能发现哪些信息?把你们的发现记录在表1中,并给这些信息分一分类。

表1 我们的记录(一)

我们的发现: ________类:________________________________ ____

(设计意图:从生活角度出发,引导学生探寻食物包装上的信息,着眼于学生细心的观察态度的培养和对搜集活动的体验。学生可以根据自己的分类标准进行整理,只要他们能说出理由,就给予充分的肯定和鼓励。指导学生掌握收集信息的方法,培养学生分析处理信息的能力是教学中十分重要的目标。)

2. 食物的保质期与生产日期

(1)谈话:从食物安全的角度出发,当你去买食物时,应该关注哪些信息?

(2)学会看生产日期和保质期:你会看保质期吗?保质期通常在哪里?

(3)出示一包辣条和一罐奶粉:请学生上台来找生产日期和保质期。提醒学生:辣条为“三无产品”,无食品卫生保证,不能购买。

(4)提问:食物是不是不管怎么存放只要在保质期内都可以食用?引导学生观察贮藏方法。

(5)分组观察：了解罐装奶粉、袋装牛奶和盒装牛奶的生产日期和保质期，并填写表2。

表2 我们的记录(二)

	生产日期	保质期	储存方法
罐装奶粉			
袋装牛奶			
盒装牛奶			

(6)讨论：从这个表格中你能发现什么？有什么疑惑与问题？为什么保质期长短不一样呢？你认为影响保质期长短的原因可能有哪些？

(7)师生对话：你们平时喝牛奶吗？你们应该选择保质期长的，还是选择保质期短的？

(设计意图：给学生们准备“有结构的材料”，为学生的自行探究提供可能。在活动中引导学生从包装上的信息中发现问题，进行研究，并运用研究成果选择合适的食物，用科学来改善饮食质量。同时，在活动中也发展了学生整理和分析信息的能力。所以，这个环节对学生的发展来说，是非常有价值的。)

3. 调查了解食物的配料

(1)讲述：同学们正是长身体的时候，选择食物不仅要关注安全，还要从营养搭配的角度出发。我们应该观察食物包装上的哪些信息呢？

(2)学生分组观察牛奶：观察食物的配料，把我们熟悉的、含有营养的配料找出来。这种食物在均衡膳食“宝塔”中处于什么位置？

(3)观察营养成分表，计算：我们每天需要喝多少袋或多少盒牛奶为好？

(4)学生继续分组观察鲜虾片：把一些我们不熟悉的配料找出来，调查了解它们在食物中所起的作用。

(5)认识食物添加剂。

(设计意图：学生通过观察配料表进一步了解食物，并且通过营养成分表的计算，掌握食物的量。引导学生健康饮食。)

(三)延伸与拓展

(1)小结：这节课我们研究了食物包装上的信息，学会了从安全、健康的角度选择食物。请同学们以“食物质量监察员”的身份，调查学校周边商店的食物质量安全情况,写一份调查报告。

(2)选食物活动:在讲台上摆出各种食物,请学生上台选择,并说明选择的理由。

(3)提示学生注意包装上的环保标志。

食用过后按照食物包装上的提示进行处理。

(设计意图:让这节课的内容学以致用,并提示学生食用完后不忘保护环境,提高学生的环保意识。)

八、板书设计

食物包装上的信息

生产日期	保质期	贮存条件
配料	营养成分表	净含量

……

九、教学反思

本节课我采用了"自主观察,合作探究"的学习方式,在课堂上充分调动学生的积极性,把大部分时间交给学生观察、讨论,在此基础上我做适当的点拨,使"以学生为主体,以探究为核心"的教学理念真正得到体现。

我从生活入手,先让学生猜没有包装的饮料和有包装的饮料,从而知道食物包装上的信息的重要性。学生日常生活中经常吃的鲜虾片的食物外包装上有很多信息,让学生对这些信息进行归类整理。

分类后再进行不同方面的细致深入研究。从最重要的食物安全方面入手,研究食物的生产日期、保质期和贮存条件。以没有生产日期的辣条为例,认识"三无产品"没有安全保障,知道合格产品、安全食品的含义。以罐装奶粉为例,查看生产日期标注的位置,再根据生产日期和保质期计算食品的有效期限,并且知道在有效期内也要按食品包装上的贮藏条件进行存放才能保证食用安全。再提供两种奶制品给学生实践,让学生观察生产日期、保质期和贮存方法,通过比较三种奶制品保质期长短的不同,思考影响保质期长短的因素可能有哪些,并根据实际需要选择保质期长短不同的食物,收效颇好。

从健康营养方面来谈如何从配料的角度有目的地选择食物,并对应前面课程中学习到的膳食宝塔,了解食物中的营养,以及每天可以食用的数量是多少。分别找出熟悉和不熟悉的配料,制作课件介绍食品添加剂,使学生感受到食物中包含着丰富的营养成分,更好地了解食物的结构,从而有目的地选择食物。学生对食物本身就存在着较高的热情,这样一来,孩子们显得有话可说,每个小组都认真地观察,积极地探讨,学会了科学地选择食物。

科学来源于生活,又服务于生活。科学购物这一环节旨在引导学生学以致用,使学生关注食品信息,切实用科学的方法指导生活,很好地发挥科学课真正的教育价值。

本节课教学目标基本达成,但在教学中也有一些不能令人满意的地方:学生记录了保质期后,引导学生比较三种奶制品的生产日期和保质期的时间过短。因为时间紧张这一环节没能充分展开,关键处没有很好地点拨,教学难点没有很好地突破,所以这部分的教学可能比较含糊,学生对于这部分知识的掌握不够扎实。

《地球的形状》教学设计

魏　松[①]

一、教材分析

《地球的形状》一课以人类认识地球发展的轨迹为线索，展现了人类对地球形状的认识过程。让学生了解人类对地球探索的艰辛过程以及我们居住的地球形状，可以增强学生对自己生存家园的热爱之情以及对科学研究工作的敬佩之意。

二、学情分析

六年级学生经过近几年的科学学习，已经有了比较丰厚的科学知识，对学习科学的兴趣比较浓厚，对探究科学的方式方法已经是轻车熟路了。加之现今社会，科学技术日新月异，网络资源丰富，让学生学习、探究地球的形状，不是什么困难的事了。

三、教学目标

(1)知道地球的形状和大小，知道人类探索地球形状经历了漫长而曲折的过程。

(2)能够收集有关地球的资料并提出关于地球形状的一些问题。

(3)体验科学探究中运用想象建立假设以及解释的重要性，认识到科学是不断发展的。

---

① 魏松，男，本科学历，定远县职工小学高级教师。主讲课程：小学科学。

四、教学重点

知道人类认识地球形状的曲折过程，知道科学结论的得出可以来源于生活中的现象。

五、教学难点

知道合理质疑是科学探究不可缺少的推动力。

六、教学准备

教师准备：地球仪、小船、课件。学生搜集麦哲伦相关资料。

七、教学过程

（一）导入

(1)（出示地球图片）这是什么，你们认出来了吗?

(2)（粘贴地球图片）这就是人类赖以生存的地球家园，我们人类自从在这个星球上诞生时就在不断地探寻它的真面目，我们今天就从地球的形状说起。

板书：

地球的形状

（二）了解学生对地球形状的认识

(1)教师提问：你知道地球是什么形状的吗?

(2)学生交流讨论。

（三）了解人类认识地球形状的过程

(1)如今的人类可以通过各种途径认识地球的形状，但在古代，地球到底是什么形状这一问题一直激励着善于发问和探索的人不懈地思考论证着。他们认为地球是什么形状的呢？请大家阅读古代人对地球形状的猜想、探索与实践。

(2)学生阅读书中相关资料并讨论、汇报。

①在天圆地方的基础上，有人做了改进，天不与地直接接合，而是由地上的

8根擎天柱撑着。对于以上说法,你们认为可信吗? 为什么?

②这些说法虽然可信度不高,但都是古代人对地球形状的积极探索。不过,在古代也有人提出了另外一种猜测,那就是我国东汉时期的张衡和古希腊的亚里士多德,他们分别是怎么说的?(出示课件。)

(3)现象模拟:古代居住在海边的普通劳动人民发现船进出港时总能看到一种现象,你能猜到是什么现象吗? 下面我们来模拟一下船的进出港,看看他们究竟发现了什么与地球是球形有关的现象。

教师演示:这艘船由船身和桅杆两部分组成,从地球的另一面开向你,就叫进港,从靠近你的那一面开向地球的另外一面,就叫出港。观察在船进港时你先看到什么,后看到什么,船出港时什么先消失,什么后消失。实验时小组要配合好,观察者眼睛要平视,开船者要控制船的速度,不要太快。看书第15页的实验操作图。

①学生分小组合作进行模拟船进出港的实验。

②学生汇报现象。

教师演示船的航行,你有什么发现?

小结:通过船进出港这一现象人们猜测地球是圆的。无论是神话、天圆地方说,还是张衡和亚里士多德的看法,以及普通劳动人民在船进出港时观察到的现象,那时的人们对于地球形状的认识只是猜测。

板书:

猜测

(4)介绍麦哲伦航行实践证明地球是球体。随着时间的推移,进入近代,此时有人已经不满足于对地球形状的猜测了,这个人就是麦哲伦,他带领着他的船队完成了人类第一次成功的环球航行,我们在地球仪上跟着他走一走。

①(出示课件《麦哲伦航行》)1519年9月,麦哲伦率领5条海船、234人从西班牙外港(找到西班牙画圈处)出发,向南航行,12月到达里约热内卢湾(画圈处)。1520年10月,麦哲伦率领船队进入一条海峡,经过一个月才走出。为了纪念麦哲伦的这次探航,后人把这条海峡命名为“麦哲伦海峡”。11月,船队向西航行,进入“南面的海”,航行了110天,没有遇到狂风巨浪,平安无事,他们就把这个大海洋命名为“太平洋”。1521年3月,船队在马里亚纳群岛中的关岛首次登陆,之后,在菲律宾群岛中,麦哲伦插手当地部族的战争,结果受了重伤,被土著人杀死。1522年9月,麦哲伦的助手带领幸存者从太平洋绕好望角回到大

西洋，返回西班牙。

②学生在地球仪上沿着麦哲伦航线走一走。

③介绍麦哲伦环球航行的意义。麦哲伦的环球航行历时三年，虽然他中途被杀，但他的环球航行意义重大，因为这是人们第一次用实践验证出地球是球形的。

板书：

实践

小结：回到现在，随着科学和技术的发展，人们能在太空中观察地球了。我们一起来看一些在太空中看到的地球图片。(出示课件。)

板书：

直接观察

(四)了解地球的大小

(1)地球到底有多大呢，我们用数字来说话。

(2)学生介绍有关地球赤道周长、半径、表面积等相关数据。(课件展示。)

(3)我们知道中国的领土面积是960多万平方千米，那么，你们能猜猜一个地球相当于多少个中国领土面积吗？

(4)学生猜想、计算。

(五)拓展活动

算一算：如果你以每小时4千米的速度，每天行走8小时，当你绕行赤道一周后，你的年龄该有多大？

八、板书设计

地球的形状

猜测—实践—直接观察

九、教学反思

本节课从导入开始，首先直接向学生发问：地球是什么形状的？你怎么知道的呢？让学生联系自己的生活实际来回答，激发学生的学习兴趣，对学生已掌握的前概念进行调查。

然后通过语言过渡:实际上我们人类认识地球的形状一开始并不是这样的,古代人眼中的地球是什么样呢?这一问题的设置将学生的注意力集中到古代人对地球形状的猜测和想象中来。古代人对于地球的认识受限于当时的技术手段和认知水平,所以对于地球的形状描述得并不准确,但是古代人能够充分发挥自己的想象,展开合理的解释,对于今天的我们来说也是可以理解的。适时让学生产生敬佩之情。

接着按时间推进来了解近代人类是怎样认识地球形状的。通过出示图片,让学生知道人们对于地球的认识是一点一点逐渐完善的。从航海时代开始,人们发现靠近码头的船只总是先看到桅杆,再看到船身。人们觉得地球好像不是平的,可能是圆的。虽然我们学校离海边不远,但不是所有的学生都能认识到这一点,因此,在这一环节我设置了一个实践活动,让学生用小船在地球仪上模拟船的进出港,直观感受船进出港时人们看到的不一样现象,为古人的解释提供了自我实践依据,也激发了学生想了解麦哲伦航行实践的愿望。并且,在课上让学生在地球仪上沿着麦哲伦的航行走一走,极大地引发了学生的兴趣,边找边讲,也让学生体会到了麦哲伦航行的艰辛与伟大。

最后我给学生出示了宇航员在月球拍摄的地球照片,让学生直观感受地球是圆的,并通过一系列数字让学生了解地球的大小。在拓展部分出示了两道计算题,一是计算一个地球相当于几个中国大,二是绕赤道一圈需要多少时间,既巩固了学生对地球大小的认识,又锻炼了学生的数学能力。

这节课讲完,总感觉自己缺少点什么,想来还是缺少让学生主动探究的意识,但是对于这种介绍科学史的内容到底探究什么,自己把握不准确,还是要多研读教材与教参,以更大限度地促进学生发展。

《地球表面的地形》教学设计

田　原①

一、教材内容

《地球表面的地形》是小学科学教科版五年级上册第三单元《地球表面及其变化》的第一课。

二、教材分析

本课主要是指导学生初步了解五种地形及其特点，并学会观察地形图。本课也是学习本单元的基础，主要引导学生接触地理科学知识，关注我们生活的环境。

三、学情分析

五年级学生一般有外出旅游的经历，尤其是去过一些比较有风貌特色的景点。在教学中可以充分利用这一点，鼓励学生乐于分享、自主思考、合作讨论，并激发他们学习的积极性。

四、教学目标

科学概念：地形按其形态包括高原、山地、盆地、丘陵、平原五种类型。地球表面有河流、海洋、山脉、湖泊、瀑布、沙漠等多种多样的地貌，地球表面是高低起伏、崎岖不平的。

过程与方法：会看简单的地形图，在地形图上指认高原、山地、盆地、丘陵、

---

① 田原，女，本科学历，阜阳市铁路学校教师。主讲课程：小学科学。

平原等地形;观察并描述常见地形的特点;通过捏橡皮泥,丰富学生对地形的认识。

情感、态度与价值观:培养学生研究地球表面地形的兴趣,能自觉关注和收集相关的信息;对学生进行节约用水、保护地球环境的教育。

五、教学重点

知道几种常见地形的特点。

六、教学难点

从地形图中发现整个地球表面地形的分布和特点,知道并描述各种地形的特点。

七、教学准备

学生准备:事先搜集一些自然风景图片或者自己曾经去过的景点照片,并准备橡皮泥。

教师准备:准备一些典型的地形地貌的图片或视频,并准备地球仪、中国地形图。

八、教学过程

(一)创设情境,导入新课

(1)认识地球仪:今天的科学课上,老师给大家带来了一个新仪器,你们看看它是什么?(地球仪。)

地球仪是人们为了便于认识地球,仿照地球的样子并按照一定的比例缩小后制作出的地球的模型。

板书:

地球仪

(2)仔细观察,这个地球仪有什么特别的地方吗?(教师拿着地球仪巡视各小组,并让学生摸一摸:这个地球仪是凹凸不平的。)地球仪的什么地方凹凸不平?

板书:

表面

(3)在我们地球的陆地表面有各种凹凸不平的形态,这些不同的形态就形成了地球表面的各种什么?(学生回答“地形”。)对的,今天我们就一起来研究地球表面的地形。

板书:

地形

(二)进行探究,认识地形

(1)交流初探:学生展示课前搜集的自然风景图,并说说那里的地名,有什么特点,地形是怎样的。(学生能简单描述其特点。)

(2)课件展示照片,提问:你知道这是什么地形吗? 你能说说从照片上观察到的地形的特点吗? 学生回答,教师适当纠正并补充介绍地形特点。

(3)合作总结:学生合作完成表格中的地形及其特点。(教师板书简笔画。)

平原:宽广平坦,起伏很小;

丘陵:高低起伏,坡度较缓,由连绵不断的低矮山丘组成;

高原:海拔较高、地形开阔,周围以明显的陡坡为界;

山地:地势较高,蜿蜒起伏,层峦叠嶂;

盆地:四周地势较高,中间低平。

(三)观察地形图

(1)通过几张照片我们初步了解了地形的分类及特点,那么,我们国家以及整个地球表面的地形又是怎样的呢?

今天老师给大家带来了几件礼物。请看!(教师出示世界地形图、中国地形图。)希望在它们的帮助下我们可以更好地了解地形。

(2)认识中国地形。

①我国的这五种地形分布在什么位置上? 你能在我国地图上为五大地形分别找出代表性的地名,完成表格吗?

(高原、盆地、山地处在中国的中西部。平原、丘陵大多分布在中国的东部。盆地有准噶尔盆地、塔里木盆地、柴达木盆地、四川盆地;高原有青藏高原、内蒙古高原、黄土高原、云贵高原;平原有东北平原、华北平原、长江中下游平原、关中平原;山地有喜马拉雅山;丘陵有辽东丘陵、东南丘陵、山东丘陵。)

②你认为中国的地形有什么特征?(中国地势西高东低。)

③看着这张地形图你还有什么发现。(有各种不同的颜色。)

④你知道各种不同的颜色所代表的意思吗?

⑤西部多是什么颜色？有什么？这说明什么?(西部多戈壁沙漠、少植被。)东部多是什么颜色？有什么？这说明什么?(东部多树林、河流。)

⑥讲述:据调查,中国淡水资源的总量约为28 000亿立方米,居世界第六位,但人均水资源占有量不足世界的1/3。生活中我们注意些什么?(节约用水、植树造林。)

(3)小组合作:我们已经通过上一环节了解了如何观察地形图,下面请以小组为单位仔细观察世界地形图,交流并注意记录从地形图中获得的信息。

(四)动手活动,巩固知识

(1)讲述:了解了这么多有关地形的知识,接下来我们动手活动活动,一起来捏地形。

(2)活动要求:每组用一份橡皮泥,捏一种地形。

捏之前先想想你们要捏的地形有什么特点,再选出一个动手能力强的同学来捏,其他同学可以帮忙。

这些要求听清楚了吗？比较哪组的活动最规范,做的地形最好。

(3)评价:大家评价各组所捏的地形。

教师评价:尽管老师在活动前提出了许多要求,但大家都做到了规范操作,你们真不错,当然每个小组捏的地形都很好。

(五)拓展知识,课后延伸

(1)讲述:今天我们一起了解了地球表面的地形,关于地球表面你还知道些什么？地球表面的地形会不会发生变化？是什么神奇的力量使它发生变化的？这些问题我们将在下一节课继续研究。

(2)布置作业:课后收集有关地震和火山及其他地形发生变化的资料,最好配上图片。

(六)支架设计

支架设计见图1所示。

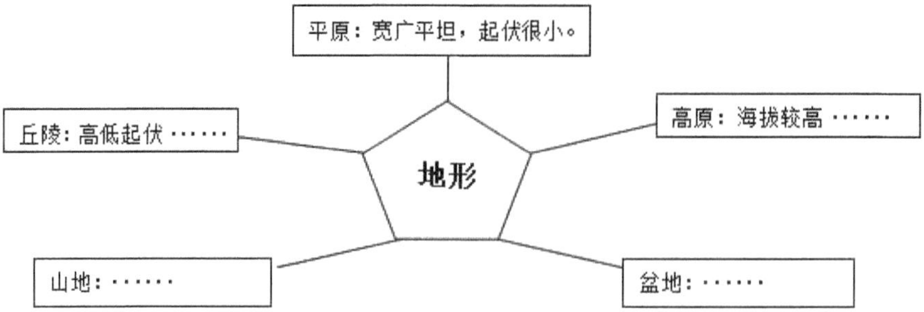

图1 《地球表面的地形》支架设计

附:活动记录单(见表1)。

表1 活动记录单

地形	特点	举例

《我们的小缆车》教学设计

周仁程[①]

一、教材内容

《我们的小缆车》是小学科学教科版五年级上册第四单元第一课的内容。

二、教材分析

教材主要有两个活动：第一，安装一个小缆车。通过安装一个利用重力拉动的小车，让学生发现铁垫圈有重量，是这个重量让绳子对小车产生一个水平方向的拉力。铁垫圈又产生一个向下的力，引出重力的概念。第二，探究拉力大小与小车的运动。主要研究拉力的大小与小车运动快慢有怎样的关系。

三、学情分析

通过两年多的科学课程学习，大部分同学已初步养成学习科学的习惯，知道采用对比实验的方法进行探究，小组合作意识、动手能力均有所提高。他们热爱科学、喜欢实验，但我们学校地处偏远农村，没有实验室及实验器材，我们仅能利用身边现有的资源去“改装”实验器材。基于以上情况，本节课按照四人一组对学生进行分组，确定小组长，让他们各负其责，鼓励孩子们自主设计实验方案，自带玩具小车、电子手表等来完成实验。

四、教学目标

科学概念：①重力是物体由于地球吸引而受到的向下的力；②一定大小的

① 周仁程，男，本科学历，霍邱县周集镇卢庙小学高级教师。主讲课程：小学科学，小学语文。

拉力能够使静止的小车运动起来，拉力越大，小车运动得越快。

过程与方法：①安装用重力拉动的小车；②做拉力大小与小车运动快慢关系的实验，并用实验数据验证自己的推测。

情感、态度与价值观：①认真操作、细心观察，注重获取证据，用证据证明观点；②培养学生合作交流、乐于动手的习惯。

五、教学重点

探究发现拉力大小与小车运动快慢的关系。

六、教学难点

研究拉力大小与小车运动速度关系实验的设计。

七、教学准备

分组材料：自带玩具小车一辆、棉线约三米、铁垫圈二十个(实验袋中已有)、挂钩一个(回形针制成)、剪刀一把、自备电子手表一块、记录单。

教师准备：课件。

八、教学过程

课前谈话交流，拉近师生距离。

(一)出示图片，谈话导入

大家都玩过四驱车吗？谁知道它们是用什么作动力的呢？(发条、干电池、电动机、手推的力等等)。

(1)课件出示各种车辆的图片。

仔细观察这些车，它们都是靠什么提供动力的？

学生集体回答后教师给予归纳。(马车靠马拉力，手推车靠人力，卡车靠发动机的力，等等。)

课件停留在“缆车”图片上，提问：这辆车你还能判断吗？

(2)引出课题。

刚才这些车分别使用不同的动力驱动前进，而缆车是用钢缆绳拉着前进的车，它可以轻松地爬上陡坡，是颇具特色的运输工具。今天我们就来做一回小科学家,亲自安装并研究小缆车的运动与什么因素有关。

板书课题:

我们的小缆车

(二)实验探究(一)

(1)安装、调整、测试小缆车。

①老师为大家准备了一辆小车,你能想个办法让它运动起来吗?(推、上发条、装电池等。)

②老师又为大家准备了一条带有挂钩的绳子,你能再想个办法让小车运动起来吗?

(教师适时补充并请学生配合演示。)

③学生安装、调试自己的小缆车。

(2)需要多大的力才能拉动小车。

①猜测:这辆小车现在的状态是静止的,大家猜测一下:究竟需要添加几个铁垫圈,才能使小车运动起来呢?(5个、8个等。)究竟怎样才能刚好运动起来呢?(不清楚。)

②设计实验:刚才只是同学们的猜测,如何知道自己的猜测是否正确?(实验验证。)

请各小组讨论一下,该如何设计这个实验? 做实验时应该注意哪些问题?比如:小车该如何放置?(知道小车应该放正。)怎么放置铁垫圈?(知道铁垫圈应轻轻地放;在放置的过程中应保持小车是静止的,铁垫圈应一个一个地增加;等放完挂线平稳之后再放开小车。)绳子多长合适?(绳长保证铁垫圈落地小车不能离开桌面为宜。)绳子应该系在小车哪儿合适?(应保证小车运行平稳。)为了不让小车冲出桌外该怎么做?(人工保护或设置障碍。)

③请同学们分工合作共同完成实验,并将实验结论记录在表中。

学生对已经安装好的小缆车进行调整,并完成对"至少需要多大的力,能使小车运动起来?"这一问题的探究。

下面开始实验,请大家各司其职,把实验数据记录下来,实验完成后迅速将物品放回原处,并用端正的坐姿告诉老师。

④汇报交流,验证实验。

哪个小组愿意告诉大家,需要几个铁垫圈刚好能拉动小车?

老师听到了几种不同的声音，为什么结论会有所不同呢？可能与哪些因素有关？谁能来告诉老师？(小车的重量不同，轮子灵活性不同，垫圈的重量不同，桌子的光滑程度不同，等等。)

不同的实验条件会影响实验的结论。虽然我们的实验结论有差异，但我们可以知道“一定的力，能使静止的小车运动起来”。

课件展示：一定的力，能使静止的小车运动起来。

(3)认识重力。

刚才在我们的实验中，铁垫圈起到了什么作用？为什么挂上一定数量的铁垫圈小车就运动起来了？(铁垫圈有重量、有拉力、有重力等。)

板书：

重力

这个力的方向是怎样的？为什么有这个力？

对了，在地球上，由于地球的引力，所有的物体包括空气都受到一个竖直向下的力，这个力就是重力。

谁能列举几个身边感受到重力存在的例子？(提水、背书包等。)

(三)实验探究(二)

研究拉力大小与小车运动的关系。

(1)思考：大小不同的拉力如何影响小车的运动？

刚才我们已经让小车动起来了，怎么做才能让小车运动得更快？(增加铁垫圈。)那么请大家来猜测一下：拉力的大小与小车的运动快慢有什么关系？

学生回答，教师板书：

拉力越大，小车运动速度越快

(2)设计实验，验证猜想。

这只是同学们的猜想(板书：“？”)，我们需通过实验来验证这个猜想。

怎么做这个实验？请各小组来设计这个实验步骤。(学生回答。)

补充提问：在实验中应该注意哪些问题？怎样才能知道小车运动的快慢？可以用什么方法？铁垫圈应该怎么增加？为什么要多个多个地增加？(控制好运动距离，规定起点和终点，多个多个地增加铁垫圈，效果更明显，每次实验计时并做好记录。)

为什么同种拉力条件下要多做几次实验？(目的是为了减小误差。)

(3)课件出示温馨提示。

①控制好小车运动的距离，每一次实验以老师设定的红线为起点，桌沿为终点。

②三个三个地增加铁垫圈，观察小车的运动速度怎样变化，并记录时间。

③小组分工要明确：确定两人为操作员（一人控制小车，一人放置铁垫圈），一人为记录员，一人为口令员兼记时员，操作员严格听口令员指挥（口令为“放、停”）。

④每个实验重复做三次，把数据记录在表中。

⑤实验完成后，迅速将物品放回原处，并用端正的坐姿告诉老师。

下面开始实验。

(4)学生根据屏幕提示与要求，小组合作完成实验，并做好记录，教师巡视并适当协助。

(5)全班交流，汇报实验数据，验证之前的猜想。

①请把你们的实验数据与大家分享吧！

学生边汇报，老师边根据学生的回答将实验数据记录在电子表格中。

仔细观察这些数据，你发现了什么？（指名回答。）

刚才我们的猜想“拉力越大，小车运动越快”，与我们的实验结论一致吗？（板书：“！”）

②小结：是什么拉动了小车？拉力大小与小车运动有什么关系？

课件展示：拉力越大，小车运动速度越快。

(四)课堂小结与拓展

这辆小车是靠拉力让它运动起来的，你能想出其他办法让它运动起来吗？通过这节课的学习，你有什么收获？（自由发言，适时补充。）

通过这节课的学习我们知道：地球上的所有物体都受到一个竖直向下的力，这个力就是重力。明白了一定的拉力能使静止的小车运动起来，拉力越大，小车运动得越快，反之则相反。

最后请各位同学把自己的实验用具带好，把老师提供的器材及实验报告交给老师。

九、板书设计

我们的小缆车

重力:方向竖直向下

拉力越大,小车运动速度越快

拉力越小,小车运动速度越慢

附:学生记录表(见表1)。

表1　学生记录表

<table>
<tr><td colspan="4">研究拉力大小与小车运动速度的关系</td></tr>
<tr><td rowspan="2">拉力大小
(铁垫圈个数)</td><td rowspan="2">实验
次数</td><td colspan="2">小车运动的快慢</td></tr>
<tr><td>从起点到终点时间</td><td>平均时间</td></tr>
<tr><td rowspan="3">6个</td><td>1</td><td></td><td rowspan="3"></td></tr>
<tr><td>2</td><td></td></tr>
<tr><td>3</td><td></td></tr>
<tr><td rowspan="3">9个</td><td>1</td><td></td><td rowspan="3"></td></tr>
<tr><td>2</td><td></td></tr>
<tr><td>3</td><td></td></tr>
<tr><td rowspan="3">12个</td><td>1</td><td></td><td rowspan="3"></td></tr>
<tr><td>2</td><td></td></tr>
<tr><td>3</td><td></td></tr>
</table>

我们的结论:________________________________

《搭支架》教学设计

方忠胆[①]

一、教材内容

《搭支架》是小学科学教科版六年级上册《设计与制作》单元的第二课。

二、教材分析

本课是在前一课认识形状与承受力关系的基础上，通过实验和动手制作活动，使学生认识和发现不同形状的支架，变形程度不同，三角形支架是最稳定的结构，从而进一步激发学生研究结构与稳定性关系的兴趣。

本堂课教学内容的特色是，在完成课前学习的基础上，组织学生开展自主学习的探究活动。这堂课的任务是小组合作搭一座高塔，然后讨论：①哪些方法可以增强支架的稳定性和承受力？②采用什么样的结构承受力最大、最稳固，使用的材料又最少？③根据讨论的结果，对本组或其他组的支架提出建议，通过相互评价达成共识并对作品进行再创造。

学生通过课前看视频已经对三角形支架最稳定有了初步认识，对日常生活中见到的建筑物支架机构有了一些了解，从而产生一种设计制作一座高塔的欲望和冲动。本节课就为他们提供实践创新的平台。

三、学情分析

学生通过课前学习——看视频、看图片、实地观察高大建筑物结构等，已经对三角形支架最稳定有了初步认识，对日常生活中见到的建筑物支架结构有了

① 方忠胆，男，大专学历，安庆市经开区菱北中心小学高级教师。主讲课程：小学数学，小学科学。

一些了解，从而产生一种设计制作一座高塔的欲望和冲动。

现在一些学生动手能力差，不愿思考问题，总是希望别人说出答案，自己不去想。造成这一现象的原因是多方面的，有家庭因素，也有社会因素。因此，科学教师要充分利用课上有利的条件促使学生多动手、勤动脑，通过亲手操作增强学生的动手实验能力，让学生体验成功的喜悦，培养学生分析问题、解决问题的能力。

四、教学目标

(1)知道不同的形状结构稳定性不同，知道三角形结构不容易变形，能够比较不同结构的稳定性。

(2)合作设计和制作立体支架，通过亲手操作增强学生的动手实验能力，让学生体验成功的喜悦，培养团队合作意识和创新能力，同时也培养学生分析问题、解决问题的能力。

(3)通过讨论活动认识到高大建筑物的稳定性和承受力与其结构有很大关系，知道三角形结构在生产、生活中应用广泛。

五、教学重点

感知不同形状的结构稳定性不同。

六、教学难点

搭建承受力大的高塔。

七、教学准备

(1)小组准备实验材料：小木棒约50根(或烧烤竹签)、橡皮筋或胶带。

(2)课前学习任务：看视频、看图片、实地观察高大建筑物结构(如高压输电塔等)。

教师录制的视频网址：http://www.56.com/u80/v_MTM0MjUyMzQx.html。

世博会中国馆介绍网址：http://v.youku.com/v_show/id_XNzM1MTc5NzA4.html? from=y1.2-1-103.3.13-1.1-1-1-12。

(3)相关课件。

八、教学过程

1. 猜想、讨论、验证三角形稳定性(5分钟)

(1)出示四边形框架,提问:如何使它变稳定?五边形呢?六边形呢?

(2)学生回答。

(3)演示验证。

2. 分小组设计并搭建高塔(15分钟)

(1)小组分工,明确职责。

(2)小组讨论提出设想,形成设计示意图。

(3)利用准备材料合作搭建高塔。

(4)检验高塔的承受力。(用书本作重物。)

3. 展示小组合作成果(10分钟)

(1)小组汇报人介绍本组制作的高塔。

(2)验证成果,评议作品优劣。

4. 讨论成果优劣的原因(3分钟)

(1)讨论分析制作最好的高塔的结构特点。(使用材料少、承受力大、美观等。)

(2)讨论分析制作最差的高塔的结构特点。

5. 改进成果,进一步分析常见建筑物结构(7分钟)

(1)各小组对不满意的高塔进行改造、检验。

(2)讨论分析部分建筑物结构。(如埃菲尔铁塔等。)

活动设计中采用“讨论+实验+展示+交流”的学习策略,使知识通过探究体验得到深入理解,学生参与探究兴趣盎然,效果良好。活动中如果出现评议结果有争议时,可适时采用自评与互评、无记名投票相结合的方法进行。尽量鼓励学生发表见解,小组先讨论后再推举发言人阐述观点。

九、教学反思

我对这堂课教学设计的用心之处在于设计“展示小组合作成果”“讨论成果优劣原因”等环节,并适时提出相关问题让学生讨论。在学生观察完各个小组的高塔后,他们对各小组制作的高塔的异同大概也了解到了一点。这时候,再提出相关的问题让他们进行讨论,最后还有一个整改建议,这就使学生的注意力不得不集中了。因为要给其他组提出整改建议,他们就要了解其他组的操作结果和存在的问题,而要了解其他组的操作结果和存在的问题,他们就要对这个实验结果进行观察、讨论,这样才能找出存在的问题,然后才能提出整改建议。这样一环扣一环地紧跟着,再加上教师适时地用一两句话或者一两个问题激起他们的好奇心和求知欲,就能让他们的注意力在实验结束后要分散的时候再次达到集中,思维的火花再次被燃起。

小学科学课程的基本理念中有一点是科学学习要以探究为核心。在科学探究方面对小学生提出的要求是能通过观察、实验、制作等活动进行探究。本节课的教学以学生的探究学习为主。在探究学习过程中,学生经历了制作、实验、观察、讨论、交流等活动,创新性思维能力得到进一步提高和发展。学生通过动手实践,边思考边设计,边探究边验证,这是一堂典型的科学探究课。

《光的反射》教学设计

宋晴晴①

一、教材内容

《光的反射》是小学科学教科版五年级上册第二单元的第四课。

二、教材分析

本课让学生了解光的反射现象，学会用反光原理照亮目标，并能简单画出光的反射路线。让学生在学习了光和影、阳光下的影子、光的直线传播之后，再次学习光的反射属性，并能够利用光的反射原理制作潜望镜，还能利用光的反射原理解决一些生活难题。

三、设计思路

本节课主要内容：照亮目标、光的反射的运用。整体思路是从学生熟悉的生活中发现问题，引出照亮目标活动，在此活动中提示学生观察反射现象，认识反射光的规律，然后列举并解释生活中光反射的实例，接着通过制作简易潜望镜模型深化对光的反射的理解，最后认识光污染。本节课重点培养学生在课上的自主实验操作能力，通过观察、探究、讨论、交流，理解光的反射原理及运用，动手制作潜望镜模型，学以致用，提高学生的动手思考能力。

四、教学目标

(1)科学概念：光照在镜面上改变了传播的方向，被反射了回去，形成反射

① 宋晴晴，女，本科学历，阜阳市临泉县吕寨小学一级教师。主讲课程：小学科学，小学数学。

现象。反射光也是直线传播的。

(2)过程与方法：通过实验观察光的反射现象。学生动手操作、观察、交流、理解光的反射和应用。

(3)情感、态度与价值观：认识到自然事物的变化是有规律的，人们掌握了自然规律就能更好地满足生产和生活需要。鼓励学生积极参与探究活动，培养学生善于观察实验、善于思考、善于动手的能力。

五、教学重点

认识光的反射及运用。

六、教学难点

学会画光的传播路线图。

七、教学准备

教师准备：课件、潜望镜模型。

分组实验：手电筒、乒乓球、平面镜。

八、教学过程

(一)激趣导入

(1)师：通过前面的学习，你们知道光线是怎样传播的吗？

学生回答：光是沿直线传播的。

(2)师：你们回答得很好。今天窗外的阳光明媚灿烂，谁能想到办法将灿烂的阳光引到我们教室的黑板上呢？

学生开始思考并动手试一试。他做到了吗？他是怎样做到的？(利用平面镜。)这是怎么回事？这就是生活中常见的“反光”现象。今天我们就来继续探索光的另一个特性：光的反射。

板书：

光的反射

(二)新授:照亮目标探究活动

师:下面,我们进入今天的科学探究——照亮目标。

(1)学生根据教师的指示操作。

①打开手电筒的开关,让光从上往下照桌上的科学书,观察光是怎么照亮科学书的?

②不改变手电筒的位置,如何照亮竖立的科学书?学生分小组操作,并说清具体选用什么材料、采用什么方法、实验步骤是怎样的。(一块平面镜。)

③不改变手电筒的位置,如何照亮阴影里的小球?生讨论方法,再小组合作完成任务。

师:你是怎样照亮小球的?

生:利用光的反射。

让生到前面演示。

(2)师:实验成功了,我们一起来看看光走过的路线。出示课件《光的传播路线图》。

(3)小结。

(课件展示)通过刚才照亮目标的活动,我们发现光碰到镜面改变了传播方向,被反射了回去,这种现象就叫作光的反射,反射光也是直线传播的。

(三)光的反射的运用

(1)师:在日常生活中,有很多运用光反射的例子,你们能说说吗?

学生分组讨论,再汇报。

运用光反射的例子有汽车观后镜、额镜、灯罩、汽车车灯、手电筒、汽车的反光镜等。

(2)课件展示图片,让学生观察并说一说。

①反光镜是怎样使驾驶员看到车后面的情况的?

②医生为什么用额镜能给病人检查耳朵?

(3)学会用光反射的规律解释生活中的问题。

①照明灯上为什么要装上灯罩?

②教室的墙壁为什么要涂成白色?

③为什么黑暗的夜晚打开台灯我们就能看到书中的文字?试着画出光的

传播线路图。

(4)师：人们利用光的反射做了这么多的事情，我们今天也来利用光的反射做一个简易的潜望镜。

学生自学课本第32页的制作方法。(教师提醒学生注意镜片放置的位置、角度以及镜面的朝向。)

师：你们的观察工具做好了吗？我们来检验一下效果吧(出示课件)。这是一个简易的潜望镜，当我们不能直接观察事物时，比如说在潜水艇里，如何观察水面上的情况呢？这就需要用到潜望镜。

师：还有哪些工具是运用了光的反射？

生：利用反光镜制作的其他玩具：万花筒……

(5)拓展：了解光污染。(玻璃幕墙的反光、湖面的反光、黑板的反光……)

(6)布置作业：在回家的路上和小区里找找存在哪些光污染。

(四)课堂小结

谈谈本节课的收获。

(五)作业布置

课外调查光污染的危害及原因。

九、板书设计

4　光的反射

反射 ————→ 应用

光碰到镜面改变了传播方向，被反射了回去，这种现象就叫作光的反射，反射光也是直线传播的。

《植物的叶》教学设计

陈绪敏①

一、教材内容

本课选自小学科学教科版三年级上册第一单元第五课《植物的叶》。

二、教材分析

小学科学三年级上册教材是整套教材的起始册，第一单元《植物》以植物为观察对象，以观察为主线安排了一系列活动，学生观察了一棵树后，获得了关于这棵树的轮廓性认识，然后教师引导学生关注树的某一部分叶的特点。

本课分为三个部分：分叶子、比较叶的相同点和不同点、观察叶的生长变化。本课要让学生通过多种感官、多种方法探究常见叶子的结构特征和叶的生命过程，培养学生研究树叶的兴趣和观察、比较、分析的能力。

三、学情分析

三年级的小学生很好动，比较喜欢表达自己的思想，对周围世界充满了好奇，有很强的求知欲和自我表现愿望。三年级的小学生对于生活中常见的叶子有一定的感性认识，但是这种认识不完整，也不够深刻。针对学生的情况，在设计本课时，我创造机会让学生去经历一个个观察、研究、认识的活动，把科学课变得更生动、更有趣，拉近学生与教材之间的距离，使学生喜欢上科学课。

---

① 陈绪敏，女，本科学历，六安市人民路小学高级教师。主讲课程：小学数学，小学科学。

四、教学目标

科学概念:树的叶是多种多样的,同一种树的叶具有共同的基本特征。植物的叶一般由叶片和叶柄组成,叶片上有叶脉。叶是有生命的,叶从叶芽开始生长,到最后衰老死亡,完成了一生。

过程与方法:统计树叶的数量和树叶的种数。根据一定的判断依据,划分出同一种树叶和不同种树叶。

情感、态度与价值观:培养学生研究树叶的兴趣,以及爱护环境、与自然和谐相处的态度和意识。

五、教学重点

开展观察叶生命现象的活动,建构起叶是有生命的科学概念。

六、教学难点

是否是同一种树叶的判断方法。

七、教学准备

学生准备:一些树叶,包括同一种植物的新鲜叶和落叶。

教师准备:一根长有大小不同叶片的树枝。

八、教学过程

(一)情境导入

同学们,这节课,咱们先去操场上捡树叶,好不好?树叶是什么颜色的?(绿色、黄色、红色、嫩绿……)大家知道还有别的颜色吗?有没有兴趣来观察这些树叶?

今天我们就来研究:植物的叶(板书课题)。

(二)体验探究

(1)数一数有几片叶子?

学生活动:数一数,摆一摆,汇报数量。

师:现在老师想看看,谁的观察力最强?谁是最细心的孩子?

(2)按自己的方式分一分,这里面有几种树叶?

教师巡视指导,鼓励学生独立动手分树叶。

学生活动,汇报分的结果。

师:同学们都认真地思考了,你们根据什么确定这些树叶是同一种树的叶子?

学生活动:以形状为标准,形状是否相同就决定了这些叶子是不是同一种树叶。

教师小结:给叶子分类的方法很多,但是要得到同一种叶子,就一定要根据叶的形状来分类。

(设计意图:这是一个科学探究小活动,学生手脑并用,要分类就得先观察手中叶的特征,并在发现叶有大小、形状、颜色不同的基础上,总结出只有形状相同的叶才是同一种叶。这个活动培养了学生重视证据、大胆质疑的良好科学态度。)

(3)比一比。

出示一些大小不同、颜色不同的树叶,让学生判断是不是同一种叶。

质疑:这些叶子是同一种叶吗?

①你观察到了什么才说它们是同一种叶?

②你观察到了什么才说它们不是同一种叶?

学生活动:观察到了叶的形状相同,才说它们是同一种树叶。形状不同,就不是同一种树叶。

③同一种叶的主要特征有哪些呢?

学生:观察发现,同一种叶除了形状相同以外,还有许多相同特征。

学生活动:看,摸,闻,尝。

预设:叶片上有一根根细丝,叶边缘有锯齿……

④比较:对比观察不同种类的叶,发现叶有什么相同的结构?

学生:叶由叶片、叶柄、叶脉三部分组成。

教师适时解惑:让学生伸出一只小手,把小手臂当作叶柄,学生自然会说出,手掌就是叶片,手掌上的纹路就相当于叶子的叶脉。

(三)观察叶的生长变化

(1)观察:比较新鲜叶与落叶,它们有什么相同点和不同点?

思考:长在树上的新鲜叶与落叶的最大不同表现在哪里?(新鲜叶和落叶的颜色不一样。)

(2)观察与思考:观察一种植物的叶,我们能从中看出叶的生长变化过程吗?

(3)找一找:能找到这根树枝上有几种不同的生长阶段的树叶吗?

(如叶芽、小叶片、嫩叶、成熟的叶、老叶、即将枯萎的叶等。)

师:结合板书比喻,这根枝条好像人类的一生,从左到右分别是幼年、童年、中青年、老年,检验一下是否贴对了?

改正的过程,也是对各阶段叶的再认识。然后进行讲解:

①长在枝头上的是芽,形状最小,是叶最嫩的阶段,叫叶芽;

②从大小和颜色上进行对比就可以找出嫩叶;

③接着让学生找一找哪一个是“人到中年”的叶子,大家自然想到长大的叶子;

④学生又联想到人老时很多人会驼背,叶子的边缘就会卷曲起来,这就是枯黄的叶子。

(设计意图:通过这个将“树叶比喻成人”的教学环节,孩子不仅认识了叶在各个阶段的特征,而且认识到叶的生命过程与人的一生极为相似。在学习的过程中把科学与人对生命的感悟融合在一起,唤起学生内心深处对生命的珍惜和感动。)

(四)总结升华,课后拓展

(1)下面我们来做一个“画叶子”的游戏。

①师:从你的叶子中找到你认为最特别的一片。仔细观察,记住其特别之处。

②师:老师把这些最特别的叶子先收上来,请你们用笔把你认为最特别的叶子画出来。

(2)小结:叶还有许多秘密,大家可以课下搜集关于叶的知识,然后和同学们共同分享。

(3)师:你喜欢树叶吗? 那么不要把捡来的树叶浪费了。展开想象的翅膀,表达自己对叶的喜爱之情吧,可以做树叶贴画、树叶书签,或者写一篇关于树叶的小作文,等等。

《时间在流逝》教学设计

杨　合[①]

一、教材内容

本课是小学科学教科版五年级下册《时间的测量》单元的起始课，是学生研究、测量时间的开始。本课的研究内容由“现在几点了”“一分钟有多长”“过去多长时间”三部分组成。

二、教材分析

对于学生来说“时间”是一个非常熟悉而又陌生的事物，他们每时每刻都在时间的流逝中生活和学习。但是时间又看不见、摸不着，怎么能够对时间进行研究呢？本课的活动设计试图通过一些可操作、可感受的具体活动，增强学生对时间的认识，并利用多种感官和自然现象，估计时间。学生将通过感受1秒钟的节奏、1分钟的时长来感知时间的长短，并且意识到我们的实际行为很容易使自己估计时间时发生偏差，因此，需要准确地、客观地计量时间。同时，意识到时间的长短不以人的意志而改变，它以不变的速度在流逝，要养成珍惜时间的好习惯。

这样的课没有实验课有趣，不好上，但是教材需要这样的内容。怎样将枯燥的内容变得有趣，让学生乐于参与，这是在备课时需要解决的问题。经过思考，设计教学环节时我尽量多给学生创造实践和体验的机会，使学生经过有趣的实践和理性的思考，了解这节课的知识。

---

① 杨合，男，大专学历，宿松县下仓镇中心小学高级教师。主讲课程：小学科学。

三、学情分析

时间每时每刻都伴随着我们,学生对时间是再熟悉不过了,但是时间又是看不见、摸不着的,因此,孩子们对时间既是熟悉的,又是模糊不清的。怎么能够对时间进行研究呢?这个问题对于五年级的学生来说是有一定挑战性的。通过本节课的教学,要让学生意识到时间是可以被感受、估计和计量的。学生将通过感受1秒钟的节奏、1分钟的时长等来感知时间的长短,并且意识到我们的实际行为很容易使自己估计时间时发生偏差,所以需要借助工具来准确地、客观地计量时间。好在五年级的孩子已经有了一定的认知能力和科学学习的基础,通过设计多种活动,给他们创造多次体验的机会,他们还是能够理解仅凭个人感觉来感知时间是不科学的,需要借助科学的工具来计量时间。通过引导分析,学生也能理解时间一去不复返,要珍惜时间,把握现在。

四、教学目标

(1)科学知识:知道时间有时是指某一时刻,有时则表示一个时间间隔,即时长。知道借助自然界有规律运动的事物或现象,可以估计时间。

(2)过程与方法:学生通过运用多种方法感受一分钟长短的活动过程,能够比较准确地估计一分钟时间的长短。进一步能够估计10分钟、1小时时间的长短。

(3)情感、态度与价值观:意识到只凭主观感受有时是不正确的。让学生意识到时间的长短不以人的意志而改变,时间以不变的速度在流逝,要珍惜时间。

五、教学重点

运用多种方法感受1分钟的长短。

六、教学难点

经历从模糊估时到较准确估时的整个探究过程,积累估时的方法,提高估时的能力。

七、教学准备

多媒体课件、数字钟表等。

八、教学过程

(一)导入活动

猜猜相片中的人物是谁?

播放教师自己的成长记录,并用歌曲《时间都去哪了》进行伴奏,感受时光飞逝,提出问题:我还能回到那个时间,重新体验一次吗?

板书:

时间在流逝

(二)主要活动

(1)猜猜现在几点了:比一比,看谁猜得准。

①如果不看钟表,你能知道现在大约几点钟吗?(学生自由发表自己的观点。)

(课件展示:不看时钟和手表,估计一下现在大约几点了?你是根据什么估计的?)

②可以根据日常生活中的哪些现象来估计现在几点了?(分组讨论估计的方法。)交流、汇报估计时间的方法。

(2)要准确地知道现在的时间,该怎么办?(课件超链接出示:数字钟。)

①请看数字钟,现在几点了?

你们小组谁估计的时间最接近?

②课件出示钟面:

秒针转动一格表示时间过去多少?

秒针转动一圈表示多久?

分针、时针呢?

(3)1分钟有多长:感受秒的节奏,用自己的方法估计1分钟时长。

①教师出示秒的节奏。感知1分钟:1分钟有多长?

②学生体验1秒的节奏。学生集体闭上眼睛,体验1秒钟,教师看时间。

你们还可以找哪些活动来体验1分钟?小组里面先讨论下,然后开始体验活动。

出示课件,听1分钟秒针的节奏,跟着节奏,心里默数1、2、3……

③汇报交流体验方法和结果。

对1分钟有没有新的感受?你能想办法表示1分钟吗?

选择一种自己认为最准确的估计方法来检测一下。

要求:估计1分钟到了,抬起头看大屏幕计时器;轻声不要影响别人;要实事求是,不准偷看。

课件播放:1分钟计时,学生估计。

④大家估计得准确吗?问题出在哪?

⑤没估计准确的同学,调整一下自己的方法,我们再来试验一次。

随机调查:你估计准确吗?打算怎么改进?

⑥进行最后一次试验,估计变得准确。

课件播放:1分钟计时,学生估计。

小结:古代人就是这么一点一点探索发现计量时间的方法的。

(4)找出时间在流逝的踪迹,感受时光飞逝,时间一去不复返,珍惜时间。

从上课到现在已经过去多长时间了?离这节课下课还有多长时间?

课件出示:从上课到现在过去了多长的时间?学生估计。

课件出示:数字钟。(板书:现在的时间)

我们还能回到一开始上课的时间吗?现在你觉得要怎样对待时间?

小结:珍惜时间,合理利用时间,做时间的小主人。

课件出示:现在你觉得要怎样对待时间?(板书:珍惜时间)

(5)过去多少时间了,仅凭感觉计量时间是不准确的,准确计量时间需要工具。

体验活动:

①双手自然叠加,平放于桌面,保持闭目1分钟。

②看一段1分钟的动画。

播放《蓝猫淘气三千问》主题曲。

引导交流:在你的生活中,什么时候你感觉时间过得特别快?什么时候感觉时间过得特别慢?

课件出示:你觉得哪一个时间持续久一点?同是1分钟,有什么不同的感受?

讨论:时间是否真的如我们的感受一样,有时候快有时候慢呢?

课件出示:在你的生活中,什么时候感觉时间过得特别快?什么时候感觉时间过得特别慢？时间真的有快慢吗？

(三)课堂总结

通过本节课的学习，你知道了什么？
课件展示：
(1)珍惜时间。
(2)准确计量时间需要借助工具。
……

(四)课堂延伸

(1)课件展示朱自清《匆匆》片段。
(2)作业：搜集计时工具的资料。

九、板书设计

时间在流逝
时　分　秒
珍惜时间

十、教学反思

本节课是借班上课，好在和这些孩子有过一年的相处时间，对他们还是有一定的了解的。通过本节课的教学，我发现自己在备课时，某些细节方面还是没有考虑周全，现总结如下：

(1)本节课我把自己成长过程中的一些相片，利用课件自动播放技术和超级录屏软件制作成视频，由此来导入新课，本来以为孩子们在认出是我的时候，会兴奋起来，可是他们虽有兴奋的面容，却都克制住了，没有表现出他们该有的童真天性。分析了一下，我觉得原因之一可能是孩子们比较重视这节课，知道此次上课要进行录像，所以都极力控制自己，这让我非常感动。第二个原因可能就是他们很希望我回去继续担任他们的科学老师，所以都尽量保持安静，极力营造一个有序的课堂氛围。因为我之前告诉他们，如果他们上课表现好，我就会留下来继续教他们，但是，当我借调一年的时间到了之后，我就要回到自己的学校，然而他们一直认为是他们上课表现不好，才把我“气”走的。因此,当这次录课下课后,几个孩子走过来,一个孩子小声地问我:“老师,我们今天的表现你满意吗?你可以回来教我们了吗?”看着孩子们充满期望的眼睛,我的心猛地疼了起来,泪水也不自觉地在眼里打转,除了回应他们微笑,我一个字也说不出来。我真的很想说,我更喜欢真实的你们、平时的你们,我不要你们在我的课堂上拘谨。如果我能在课前尽量营造轻松的氛围,如果我以前经常带他们到录播教室上课,可能今天他们就不用这么小心翼翼了。值得欣慰的是,随着进入上课的感觉,孩子们在后来的时间里也慢慢放松了一些,放开了一些。

(2)我觉得遗憾的还有两个细节,一是我在引导学生说出“6月8日是一个特殊的日子”,当孩子提到“东方之星”沉船事件时,我没有引导孩子进行情感升华,没有对遇难者进行祈福和默哀就匆匆带过,错失一次很好的教育机会。另一个就是当我说出“6月8日是每年高考的最后一天”时,没有和孩子们一起送上对高考学子们的祝福,又一次错失了一个良好的教育机会。反复思考之后,我觉得最大的原因就是自己在备课的时候没有考虑周全,其次就是自己第一次面对摄像头上课,有点紧张,再看看孩子们反常的课堂表现,也给我增加了不少压力。

当然,本节课也存在其他的不足之处,例如我自己的表情太过僵硬等,当我第一次看到自己的录课视频时,才猛然发现自己上课的样子原来这样严肃,在今后的教学中我将努力改变自己,丰富自己的表情和肢体语言。

总的来说,我对这节课还是比较满意的,因为这是一节没有实验的探索课,也是很难上的一节课,而本节课的教学思路比较清晰,环节的衔接也很流畅,如果能再设计一些细节,教学效果会更好一些的。

《声音的变化》教学设计

吴艳东[①]

一、教学目标

科学概念:①音量是由物体振动的幅度决定的,振动幅度越大,声音就越强;振动幅度越小,声音就越弱。②音高是由物体振动的频率决定的,振动频率越快,声音就越高;振动频率越慢,声音就越低。

过程与方法:运用语言来描述和记录声音,并能根据声音的高、低、强、弱给听到的声音分类。

情感、态度与价值观:形成善于观察,并把事物的特点和性质相联系的习惯。

二、教学重点

通过观察、比较,认识音量由物体的振动幅度决定,感受声音的强弱和高低变化。

三、教学难点

通过观察比较声音的强弱和高低变化。

四、教学准备

演示材料:三种分值不同的硬币各两枚。

分组材料:一把钢尺或塑料尺、声音高低的实验记录单。

① 吴艳东,男,本科学历,亳州市谯城区魏岗镇中心小学教师。主讲课程:小学科学,小学语文。

五、教学过程

(一)导入

(1)讲述:老师今天教大家一个本领,听声音辨别硬币,想学吗?先来听听它们的声音,比较一角和一元硬币的声音。

(2)提问:同一种硬币从不同的高度落下,声音会变化吗?

(3)演示:硬币从不同的高度落下。

(4)揭示课题:这节课我们就来研究声音的变化。

(二)新授

1. 观察比较声音的强弱变化

(1)你们刚才听到的声音有什么变化?(声音的轻重、大小等。)

(2)请学生用拍手掌来演示大小不同或轻重不同的两个声音,并描述这么做能让声音产生什么样的变化。

(3)请其他学生根据前面的回答来试拍手掌,并请学生谈自己的感受。

(4)老师现在按同学们所说的拍一组声音给大家听一听。好听吗?你会吗?

(5)学生自由拍一组声音。

(6)自由拍的声音很乱,下面听老师的口令我们一起来吧:我说强你们就拍得响、重,声音大点;我说弱你们就拍轻点,声音小点。(强弱　强弱　强弱弱)

(7)现在我们再来拍桌子吧,还是听口令。(强弱弱　强弱弱　强弱弱)

(8)小结:现在,同学们说说看,声音的强弱究竟是怎么回事?

声音强,就是就是我们平时说的声音比较重,声音比较大;声音弱,就是平时说的声音比较轻、声音比较小。

2. 探究声音强弱变化的原因

(1)现在大家知道声音强弱是怎么回事了,我考考你们,你能用一把钢尺,使它发出强弱不同的声音吗?

(2)分组实验:

使钢尺的一部分伸出约10 cm,用一只手压住尺子的一端,另外一只手拨动另一端。注意拨动尺子时避免尺子和桌面撞击。

先轻轻拨动钢尺,观察钢尺上下振动的幅度有多大,发出的声音有多强,并用振动幅度的大或小、声音的强或弱作记录。

再用力拨动钢尺,与前面的实验进行比较,尺的上下振动幅度和发出的声音有什么相同和不同,并记录观察结果。

重复实验3~4次,体会物体振动时,振动幅度的大小与声音强弱之间的关系。

(3)汇报实验结果。

(4)小结:声音的强弱可以用音量来描述。振动幅度越大,声音越强;振动幅度越小,声音越弱。

3. 探究声音高低的变化

出示橡皮筋琴,提问:橡皮筋琴能发出强弱不同的声音吗?

演示,再问:这两个声音除了强弱不同以外,还有什么不同吗?(高、低)

提问:声音的强弱和物体振动幅度有关,声音的高低和什么有关呢?下面让我们来研究这个问题。

分组实验,观察:两根不同的橡皮筋发出声音时,振动有什么不同?

小结:发出声音高的,振动快;发出声音低的,振动慢。

(三)拓展

今天我们的课就上到这里了,让我们用“高低强弱再见法”来说“再见”吧!。我说“弱”,你们说“强”,我说“高”,你们说“低”,好不好?

生:好。

师:那我们先用“高低再见法”说“同学们再见!”(低音)

生:老师再见!

六、板书设计

声音的变化

强(重、大、响)——振动的幅度大

弱(轻、小)——振动的幅度小

高(细)——物体振动快

低(粗)——物体振动慢

附:实验记录表(见表1、表2)。

表1 钢尺发声实验记录

	声音的强弱	尺子振动幅度的大小(可用文字或图画表示)
轻轻拨		
用力拨		

表2 橡皮筋琴发声实验记录

	声音的高低	橡皮筋振动的快慢
松		
紧		

《土壤中有什么》教学设计

彭德标[①]

一、教学目标

科学概念:①外力的风化作用和生物的作用会使岩石最终变成土壤。②土壤包含岩石风化而成的大小不同颗粒,动植物的活体和残体,以及腐殖质、水和空气等。③水流动时能携带土壤微粒跟着一起运动,当水流静止下来时,携带的物质也会沉积下来。一般来说,重的颗粒先沉积,轻的颗粒后沉积。④土壤和生物的生存、人类的生产与生活有着密切的关系。

过程与方法:①通过观察和实验寻找土壤的成分。②用沉积的方法把土壤成分按颗粒的大小分成几层。③利用各种方法搜集信息,获得对土壤成分的正确认识。

情感、态度与价值观:认识到土壤对生命以及人类生产、生活的重要意义。

二、教学重点

通过观察和实验寻找土壤的成分。

三、教学难点

风化作用和生物的作用会使岩石最终变成土壤。

四、教学准备

分组材料:为学生准备新鲜湿润的土壤及干燥的土壤、报纸、放大镜、小烧

---

① 彭德标,男,专科学历,六安市霍山县大化坪小学高级教师,教导主任。主讲课程:小学科学,小学数学。

杯、镊子、小木棒、水、筛子等。

演示材料:干燥的土壤、铁板、玻璃片、夹子、酒精灯。

五、教学过程

(一)谈话导入

师:著名科普作家高士其爷爷曾经写过一首诗《我们的土壤妈妈》。

我们的土壤妈妈,
是地球工厂的女工。
在大自然的建设计划中,
她担负着几部门最重要的工作。
她保管着矿物、植物和动物……

在诗中,他把土壤比作矿物商店的店员、植物的助产士、动物的保姆、微生物的培养者,表达了对土壤妈妈的赞美之情。同学们,你们对土壤熟悉吗?土壤中有些什么呢,本节课我们一起来研究一下。

板书:

土壤中有什么

(二)寻找土壤的成分

(1)根据你平时对土壤的观察,你认为土壤中有什么?(适当板书。)

(2)这是一些土壤,你打算怎样观察?

(3)观察新鲜湿润的土壤。

①请你用肉眼仔细观察新鲜的土壤,把它倒在白纸上,把你的发现记录在记录表上。

②学生分组观察土壤。

③汇报:你们小组有什么发现?

(学生回答,教师适当板书:水、沙子、小石子、动植物残留物等。)

(4)观察干燥的土壤。

①为了更进一步观察,我们再来观察干燥的土壤。借助小木棒,仔细观察土壤的颗粒,用肉眼观察,记录好的小组再用放大镜进行更细致的观察,并做好记录。有什么发现?能给它们分分类吗?怎样区分呢?

②学生观察记录。

③交流观察土壤颗粒的发现。

结合学生发言板书:

沙砾、沙、粉沙、黏土等

④你们观察到土壤中的颗粒大小一样吗?

地质学家为了分清颗粒,根据它们的大小进行分类,让它们都有专用的名字,出示课本第52页的介绍。学生自己阅读。

直径大于2毫米的颗粒称为沙砾(也就是我们平时说的小石子);直径小于2毫米大于1/16毫米的称为沙;直径小于1/16毫米大于1/256毫米的称为粉沙;直径小于1/256毫米的称为黏土。

(5)我们知道土壤中有大小不同的颗粒,而这是地质学家区分岩石微粒的方法,但是它们的直径太小了,肉眼根本看不清,你有更好的办法来区分它们吗?

(6)学生思考,用水让土壤颗粒沉积。

(7)观察土壤的沉积实验。

①教师演示,把干燥的土壤倒在烧杯中,土壤占杯子的三分之一,用小木棒用力搅拌水中的土壤,让土壤颗粒随水运动,然后静置一边。注意观察,刚倒入水中时你观察到什么现象?(注意:搅拌的时候不要溅出。)

②学生实验,静置观察。

③交流观察到的现象。

板书:

空气等

(8)土壤中还有我们没有发现的物质吗?再看看这两个实验。

①燃烧土壤。用酒精灯燃烧放在铁板上的土壤,闻到一股难闻的气味。这是什么发出了臭味?这是动植物的残体和分解后物质燃烧发出的气味,我们把动植物腐烂时产生的黑色物质叫作腐殖质。

板书:

腐殖质

②燃烧浸泡土壤的液体。先用滴管取几滴土壤溶液,将取来的土壤溶液滴在玻璃片上,然后点燃酒精灯,用夹子夹着玻璃片在酒精灯上燃烧,直到水分蒸发完为止。用清水滴在另一个玻璃片上做对比。

现在观察一下,玻璃片上留下了什么?两块玻璃片上留下的斑迹有什么不同?这就是土壤溶解在水中的盐分。

板书:

盐分

腐殖质和盐分都是植物生长必需的营养元素。

(9)我们现在再来看看烧杯里发生了什么。在水的作用下土壤的沉积物有了分层现象,分成了哪几层?是怎样的顺序?试着解释为什么会有这样的顺序?

(土壤按颗粒大小先后沉积下来,最上面一层是黏土,其次是沙粒,越是底下,颗粒越来越粗,漂浮在水面上的是动植物的残体。)

(10)请小组同学整理你们的实验记录,想一想土壤中有什么?

(11)小结:土壤是沙、小石子、黏土、腐殖质、盐分、水和空气等物质的混合物。

(三)土壤和生命

(1)你知道土壤中有哪些生命吗?学生举例。

(2)土壤为它们提供了什么?它们为土壤做了什么?

学生讨论、观察。

(3)小结:土壤中生活着许多动植物和微生物,土壤为它们提供了栖息地,还为它们提供了食物和生长发育必需的养料,而它们也使土壤含有丰富的腐殖质等养料,它们的活动使水分和空气更容易进入土壤,更有利于它们的生长生活。

(4)我国土壤资源状况如何呢?请大家看一些资料。

出示课件:土壤污染状况。

看了这些内容,同学们有什么感受想跟大家说说的?

(引导学生说出:土壤为我们提供了生活所需要的材料,所以我们要保护土地;生活中有许多人采用深埋的方法处理垃圾,这样会污染土壤,我们不能再这样做了。)

(5)小结:希望同学们把今天学习到的知识告诉家人,让更多的人懂得保护土壤的重要性。

六、板书设计

土壤中有什么

土壤中有水、沙、空气、腐殖质、盐分等，土壤是一种混合物

↓ ↓

碎石 动植物残留物

粉沙

砂砾

黏土

《温度和温度计》教学设计

方家宁[①]

一、教学目标

科学概念：①温度表示物体的冷热程度，物体的温度可以用温度计测量。②常用温度计是利用玻璃管内的液注随温度变化而上升或下降来测量温度的。

过程与方法：①观察常用温度计的主要构造。②识读温度计刻度上的数字，并把刻度上的数字与更热或更冷的温度联系起来。

情感、态度与价值观：了解温度计基本的使用规定，并愿意遵守这些规定。

二、教学重点

摄氏温度的读与写。

三、教学难点

识读零下温度。

四、教学准备

学生分组实验：一杯热水、一杯冷水、一杯温水、常用温度计。

教师：温度计、演示课件。

五、教学安排

1课时。

---

① 方家宁，男，本科学历，安庆市高琦小学教师。主讲课程：小学科学。

六、教学过程

(一)导入

交流:同学们已经注意到大屏幕上有老师拍的照片了,你们能猜猜看这两张照片是什么时候拍的呢?(学生回答并简要说明原因。)

师:看来大家都觉得它们是在不同季节拍的,其实,老师告诉你们,这两张照片是上周五下午体育课排队的时候老师拍的。同学们有没有发现,虽然是同一个环境下拍的,但是照片上这两个同学对于天气冷热的感知是怎样的?(不一样的。)

同学们再看看这两张照片。(出示在冬天和夏天吃冰棒的照片。)

同学们能结合自己生活的经历,说说你的感受吗?

虽然都是吃冰棒,但是在不同的环境下,我们对于冷热的感受是怎样的?(不一样的。)

(设计意图:这里设计让学生观察两组照片,是为了让学生形成一个直观的感受:不同的人体在同一个温度条件下的感受也许是不同的,同一人在不同环境下感受同一个物体的温度也可能是不同的。学生能够体会人体能感受温度,但是并不那么准确,为下面的教学做铺垫。)

(二)感知水的冷热

师:下面我们继续体验人体对冷热程度的感知。每个小组的桌上都有三个装了些水的烧杯,还有三个不同颜色的贴画,先请同学们用自己的方法去感受这三杯水,同时选择适当的贴画分别贴在杯子上。

学生:通过看、摸等方法发现一杯水是冷水、一杯水是温水、一杯水是热水,三杯水的冷热程度有差异。

师:刚才老师看到很多同学都用手去感受水的冷热程度,在这个过程中,除了刚才的发现,你的手指还感受到了什么吗?

(如果有学生通过比较的方法已经发现将两个手指先分别插入冷水和热水后,再同时放入温水里,手指对水温的感觉不一样,则让这名学生上台来为大家做演示。)

师:接下来,老师要带给同学们一个神奇的体验,下面先请同学们认真看老师的操作。

(视频演示:将两个手指分别插入冷水杯和热水杯放一会,然后将手指拿出同时放入温水杯中。)

师:大家看清楚了吗?你们动手实验之前,再往热水中加入一壶盖热水,往温水中加入少量热水,尽量让三杯水的冷热程度和刚上课时一样。

各组同学依序轮流试一试,仔细体会插入水中手指所感受到的水的冷热程度。

(各组同学体验,教师巡视指导。)

师:说说你们的发现。(请一组同学回答之后,询问其他组有无不同发现。)

师:通过刚才一系列的体验活动,我们发现人体可以感受到物体的冷热程度,我们就把物体的冷热程度称为温度,单位是摄氏度。

板书:

温度　摄氏度(℃)

师:但是感受到的温度并不准确,那有什么办法可以准确地知道物体的温度呢?

(用温度计来测量。)

师:今天我们就一起来观察、研究温度计,请同学们将桌上的烧杯放到抽屉中。

板书:

温度计

(设计意图:这里希望通过学生的探究去发现一定的规律,三杯水水温存在差异学生比较容易感知,再进一步探究手指先放入冷水和热水中,再同时放入温水中时感受存在差异。这一步可能对于大部分同学来说比较困难,教师可以适时进行引导,让学生自己去总结。)

(三)观察温度计

(1)师:这就是我们要观察的温度计,从整体上来看它是什么材料做的呢?它是什么形状的?

(2)师:在观察之前,老师这里还有一些要求要告诉大家(课件出示)。

①小心拿放温度计,以免温度计破裂。

②注意观察温度计由哪些结构组成?这支温度计能测量的最高温度和最

低温度分别是多少？每一个刻度表示多少？

③你还有什么其他的发现吗？

(引导学生去接触温度计各部分，发现在一定条件下，如触摸温度计底部，温度计内液面会上升或下降。)

(3)分组活动：请同学们拿出桌子里的温度计，观察温度计的构造、刻度、标记、数字等内容，教师巡视。

(4)交流汇报：根据学生汇报时的情况，教师适当补充：温度计主要由玻璃管、玻璃泡、刻度三部分组成，上面标有测量范围、刻度。(注意一个刻度代表多少度的温度。)

(设计意图：这里首先让学生自主观察温度计的组成，鼓励学生用各种方法去尝试，教师一方面引导学生围绕课本的问题进行探讨，另一方面希望通过学生自主探究，能够发现温度计内液柱随温度改变而改变的规律。)

(四)摄氏温度的读和写

(1)师：下面让我们轻松一下，请同学们和老师的朋友一起去旅游。前一段时间，老师的朋友出去旅游，他首先来到了江苏省的苏州市，苏州的气温是多少呢？(20摄氏度。)试着读一读。怎么写呢？(同学们说，老师在黑板上写。)

(2)下一站往南出发，来到了海南岛，请同学们细心观察温度计液面的变化，你能把它读出来吗？(上升，30摄氏度。)

谁能写出它呢？(请一个同学上黑板写。)

(3)接着他又向东北方向走来到山东的泰山，这里海拔1545米，这时的温度又发生了怎样的变化呢？(温度开始降低至0摄氏度。)

(4)他继续往北走来到哈尔滨，感觉温度又发生了变化，这回是怎么变的呢？谁能读写出哈尔滨此时的温度呢？(温度降低至零下10摄氏度，请同学读，教师示范写。)

(5)最后他来到了漠河，这里是中国最冷的地方，温度发生了怎样的变化呢？

(继续降温，零下25摄氏度，请同学读写。)

同学们有没有发现，当温度计液面上升的时候，温度计上的数值怎样变化？温度又是怎样变化的？(数值变大，温度升高。)

当温度计液面下降到零摄氏度以下的时候，温度计上的数值怎样变化？温度又是怎样变化的?(数值变大,温度降低。)

(课件展示温度计上的温度自0摄氏度起升高和降低,同时引导学生写出温度数值,体验数值变化和物体温度的关系。)

(设计意图:结合情境教学温度的读和写,让学生对于温度的读写和使用有更直观的认识。通过课件展示温度计,有意识地设置温度显示,让学生除了会读写以外,更形象地认识到温度计上数值变化和物体冷热高低的关系。)

(五)使用温度计

(1)大家想不想知道我们实验室的温度是多少呢? 每个同学都动手测量一下吧。

(2)汇报温度。(教师将各小组的汇报写在黑板上。)

(3)为什么大家测量的结果会有些差异呢?(请两个具有代表性的同学来演示一下测量过程,引导学生观察寻找产生误差的原因,引导学生注意:观测温度时,视线与温度计液面应持平,不要对着玻璃泡呼气,手不能接触玻璃泡,等等。)

(4)我们找到了一些原因,大家再来测量一下,看看这次测量出的温度是多少呢?(将第二次测量的结果也写在黑板上。)

(5)这次的差异似乎要小一点,但为什么还有差异呢? 其实,在实际的测量中,还有很多因素会影响我们的结果,如温度计制作得不尽相同、我们所处的位置不同等,所以一般是允许存在一定的误差的。而我们要做的是尽可能降低这种不利因素的影响,让测量尽量准确,将测量误差尽可能减小。(可以让学生先说原因,若说不出,则老师说出来。)

(设计意图:让学生通过测量实验室温度,发现实际测量过程中出现的问题,并及时予以纠正,主要是强调并帮助学生理解不同的观测角度,如俯视、仰视是会对测量产生不利的影响,要学会正确的观察姿势。可以请一些动作标准的和不标准的同学进行对比,以加深同学们对于这一问题的认识。)

(六)课后拓展

请同学们回家后用温度计测量一下家庭各房间内的温度,看看你能发现什么问题? 想想该如何解决? 我们下一节课再来交流。

七、板书设计

温度和温度计

（摄氏度，℃）

30℃	第一次测量：
20℃	第二次测量：
0℃	
−10℃	
−25℃	

《雨水对土地的侵蚀》教学设计

翟光成[1]

一、教学目标

科学概念：①雨水和径流会把地表的泥土带走，使土地受到侵蚀；②侵蚀使地表的地形地貌发生改变。

过程与方法：①通过模拟实验来探究雨水对土地的侵蚀；②用文字、图画、符号记录实验结果，用口头和书面语言描述实验中的现象；③对实验结果做出自己的解释，在小组内交流结果和想法；④设计模拟实验，探究影响土壤被侵蚀程度的因素。

情感、态度与价值观：关注自然界的侵蚀现象。

二、教学重点

认识雨水对土地的侵蚀作用。

三、教学难点

设计模拟实验，探究影响土壤被侵蚀程度的因素。

四、教学准备

分组器材：湿润的混有少量沙石的土、一侧有孔的长方形塑料水槽、报纸、塑料薄膜、小铲子、降雨器（饮料瓶，瓶盖上扎孔）、水。

教师演示：多媒体课件。

---

① 翟光成，男，大专学历，含山县环峰小学教师。主讲课程：小学科学。

五、教学过程

(一)引入

(1)下雨是一种经常发生的天气现象。下雨时,雨水降落到土地上。雨水会不会对土地产生影响?

(2)学生讨论交流。

(3)雨水真的会对土地产生你们所说的影响吗?这节课我们就来研究这个问题。(板书课题。)

(二)雨水如何影响土地

(1)现在没有下雨,我们怎么来研究呢?

(2)出示相关材料,问它们可以代表什么?(教师出示已经堆好的地形一块、自制的洒水壶。)

(3)你们认为这个实验可以怎么做?(小组讨论后交流。)

(4)结合学生的回答介绍实验步骤。

(5)这个实验主要研究雨水对土地的侵蚀,那我们怎么知道土地有没有被侵蚀呢?雨水有没有发生变化?学生回答。

同学们想得很周到,那我们就先观察“下雨前”的“雨水”(洒水壶中的水)和“土地”,把它们的情况记录在实验记录单上,再进行实验。

(6)学生分组实验,并做记录。

(7)小组交流、汇报。

(8)明确并出示“侵蚀”的概念。

(三)影响侵蚀的因素

(1)在自然界中,各地的情况是不一样的,比如这两个地方雨水对土地的侵蚀作用一样吗(出示课件)?

(2)学生回答。

(3)如何才能验证我们的想法呢?(进行实验。)这次的实验只做一个行不行?(不行,因为要比较。)所以我们要进行对比实验。对比实验最讲究公平,请问如何保证公平呢?(确定相同条件、不同条件。)

(4)学生分小组选择一个研究的问题,设计实验方案。

(5)交流实验方案。

(四)小结

通过今天的学习,我们了解了雨水会对土地产生侵蚀。猜测了影响侵蚀的几个因素,还设计出了具体的实验方案。究竟我们的猜测对不对呢?下一节课我们继续研究。

附:实验记录表(见表1、表2)。

表1 “雨水对土地的侵蚀”实验记录

	下雨前	下雨后
雨水		
土地		
雨水和土地的变化说明:		

表2 “影响侵蚀的因素”实验设计

研究项目	
推测	
实验方法	
要改变的条件	
不变的条件	

教学叙事篇

师者，所以传道受业解惑也。科学有道，道之所存，师之所存也。“教学叙事篇”清晰地记录了我们带着对科学教育教学的困惑和追求，如饥似渴地跟教授们学习，真诚虚心地向专家们求教，不知疲倦地相互切磋的每一次集中培训的瞬间。

爱是教育永恒的旋律，科学有爱。包罗万象、妙趣横生、无处不在的科学吸引我们的目光，填补空白、推陈出新、锐意进取的教育改革激发我们的智慧，甘做春蚕、教书育人、培育栋梁的职业情怀触及我们的灵魂，一篇篇教学案例诉说了我们对科学的热爱，对科学教育的热爱，对学生的热爱。

这是一个充满梦想的时代，中国梦、教育梦、科学梦引导我们不断反思、不懈追求，用科学的方法传播科学知识，用科学的思维涵养科学精神。科学有梦，这是时代赋予我们的使命，是教育赋予我们职责。

“国培计划(2014)”——安徽省中小学综合改革项目，因为高端，所以引领，因为引领，所以我们来了。两年的培训，让我们明确了方向，开阔了视野，增添了创新的力量。站在更高的起点，我们定将谱写出科学教育新的篇章。

武红卫

2016年11月12日

鬼神与科学

——由一个问题引发的讨论

张敬桥[1]

一次科学课上，有个学生问我："张老师，你知道吗？有一个看相的很厉害，一下子就知道了我叫张子旭！"

没想到，紧接着又有一个学生问我：

"张老师，人死了真的能上天堂吗？天堂是不是很美？"

"有一个算命先生告诉我奶奶：明天有灾，我奶奶吓得哪都没去，结果还是被我弟弟的汽水瓶碰到了眼睛。"

"我妈妈生病了，几天不能起床，吃药打针也不管用，请一个老太太，叨咕叨咕，用筷子竖了竖，弄清楚谁害的，烧烧纸，老太太把鬼神送走了，然后我妈妈的病就好了。"

……

真没有想到，学生小小的脑袋中，尽装些神仙、鬼怪之类的迷信思想，科学教育真是迫在眉睫啊！儿童时期的经历和想法往往决定着孩子对人生观和价值观的选择，这对他们一生的发展都至关重要，所以，儿童在这一时期更需要科学思想的引领。

面对大家的提问，我没有立即回答，我想把这些问题重新交给他们。于是我说："同学们，科学可以解释这些问题，同学们通过请教、思考，也会找到这些问题的答案。"接着我布置了一道课外作业，让同学们独自或者组成小组去找书本、上网或者请教别人，自己尝试解决这些问题。

又是一节科学课。我组织同学们就布置的作业进行一次大讨论，课堂立刻热闹起来！

---

① 张敬桥，男，专科学历，凤阳县红心镇中心小学高级教师。主讲课程：小学数学，小学科学。

第一个发言的是朱洁。她说：“我们合作学习小组再次找到那位看相的，请他给我们小组的每一个同学算一算叫什么名字，期终考试能考多少分，谁知他却把我们赶了出来，说我们胡闹。原来，他们和骗子一样，事先有托儿或从你的话中套话，把你要问的事套出了一大半，然后再添油加醋，用模棱两可的语言说得天花乱坠，让你觉得头头是道、信以为真。如果你真要他为你测算，他反而无能为力了。要是像他说的那样，他去买股票、买彩票，每天中个500万，岂不是早就发大财了，干吗还要费尽口舌去哄骗别人10块、8块的？”

张子旭同学说得更是头头是道：“人死了并不能上天堂，因为人是由细胞构成的，人的生长、发育、衰老、死亡都是由细胞引起的，人的一生中每天都在进行细胞的更替，人和动物一样，生老病死是一种自然现象。教材讲得很清楚，妈妈和姐姐也是这样告诉我的。”

汤磊同学补充了一句：“人死了上天堂、下地狱是一种迷信说法。”

汤文同学向大家介绍了从网上查来的资料：“某人的妻子不幸患上了病毒性感冒，并把8岁的儿子和5岁的女儿都传染上了。夫妻二人用桃树枝帮孩子们‘驱邪’，抽打得孩子满身鲜血，双眼紧闭，呼吸微弱……”

赵辉同学听着忍不住站起来大声说道：“本来只是小小的感冒，去医院看看，吃点药、挂点水就会好的，可是现在却因为迷信让一个个幼小的孩子受到如此大的伤害，多么可悲呀！”

李子文同学接着说：“有些病人，听了巫婆装神弄鬼地叨咕几句，就认为病好了，其实是心理问题。如果身体有病，就该看医生！”

看到课堂气氛如此热烈，我也说了一段巫婆惯用的骗术：先用牛奶在黄表纸上面画符，牛奶干了之后，一点痕迹都没有了，但往水中一放，由于黄表纸吸水后马上变湿，而写过字的地方则不易吸水，所以之前画的“符”就会慢慢显现出来。接着我做了一个实验，当场让同学们看到“水中显符”的奥秘。我还利用淀粉可以使碘酒变蓝的特性，做了同样的游戏。同学们看后觉得神奇的同时，也有所悟。

我乘势用科学知识破解了一些“鬼怪”现象：坟地一闪一闪的火光是磷火而不是鬼火，雷电则是发生在天空中的大规模的放电现象，等等。

在之后的教学中，我还注意让学生自己提出问题，从生活中寻找答案，相互交流，解决疑虑，大家收获很多。

我想让学生们认识到，科学并不是什么神秘的东西，在平平常常的事情中，都蕴藏着一定的科学道理,它时时刻刻伴随着我们,为我们服务,为我们做一些力所能及的工作。比如吃饭用的筷子,拿在手里,可以吃饭、吃菜,我们的生活离不开它,这两根"竹棍子"就是运用了杠杆原理。古希腊哲学家阿基米德曾说过,只要在宇宙中给他一个支点,他就能用一根长长的棍子把地球撬起来。阿基米德所说的这句话是关于杠杆作用的名言,他对于启迪我们的想象力和活跃我们的思维具有很大作用。这两根小"竹棍子",凝聚着我国古代劳动人民的聪明才智,是劳动人民成功运用科学的范例。

同时,我也想让学生明白,尽管科学没那么神秘,却必须具备发现科学的眼睛和勤于思考的头脑。伟大科学家牛顿在苹果树下乘凉,被树上掉下的苹果吸引住了,他没有责怪是不是上帝在惩罚他,而是立即投身其中,精心研究苹果为什么会落地,而不飞向空中。牛顿不仅发现了这个问题,而且由此扩散开去,成功地揭示出了万有引力,为物理学和天文学的发展做出了卓越的贡献,为今天的人们上天入地奠定了坚实的基础。

然而,我更想让学生懂得揭示科学规律也不是件容易的事。看着同学们懵懂的样子,我跟同学们说了这样一个例子:一次下雨前,有只猫在河边捡到一条鱼,它很高兴,美餐一顿之后,第二天它又去了河边,希望可以再获得一条鱼。可是,一天过去了,两天过去了,一个月过去了,这只猫也没有捡到鱼。这是为什么?因为这只猫并不懂得在夏天暴风雨来临之前,天空中乌云密布,气压较低,人及其他动物几乎呼吸不过来的时候,一条条鱼才会游近岸边呼吸,这就是科学规律。我告诉同学们发现规律并不是一件容易的事情,比如,大家都知道空气是由氮气、氧气、水蒸气、二氧化碳等物质组成的。17世纪英国化学家波义耳发现燃烧和呼吸需要空气。过了大约130年,法国化学家拉瓦锡才确定了氮气和氧气的名称及性质。从波义耳到拉瓦锡,科学家们研究清楚空气的成分,共花了一百多年的时间。

人类探索科学的脚步从来就没有停止过,也不会停止!20世纪以来,科学与技术进入了有史以来发展最快的历史时期。科学与技术的发展推动社会的全面进步。科学与技术主要是通过促进人们的生产方式、生活方式、思维方式的变革来推动社会发展的。科学使人们永无休止地探索和认识世界,对世界作出解释和预言;技术则使世界在人的手中得到重新安排,人们生活的世界日益人工化。科学与技术的日新月异,正深刻地改变着人们的生产、生活方式,社会已经越来越依靠科学与技术。

每一位生活在科学技术高速发展时代的人,必须具有科学素质。当今时代,人们从小就明显地感受到了科学技术所带来的种种影响,因此,科学素质的培养必须从小抓起。小学科学课程承担了培养小学生科学素质的责任。通过小学科学这门课程的学习,小学生能够保持与生俱来的好奇心,发展学习科学的潜力,为以后成为具有创新精神和实践能力的新一代打下良好的基础。

指导学生养蚕，培养学生观察的可持续性

陈绪敏[①]

《义务教育小学科学课程标准》指出，小学科学课程以培养学生科学素养为宗旨，积极倡导让学生亲身经历以探究为主的学习活动，培养他们的好奇心和探究欲。在小学科学教学中，需要引导学生从不同的角度进行观察、分析，培养学生耐心持久的观察品质、一丝不苟和持之以恒的科学态度。

课堂是学生学习活动的主阵地，是学生知、情、意、行等呈现的重要场所。在科学课堂上，培养学生的观察能力非常重要。但是学生的观察一般不能持久，为了养成学生爱观察、善于观察的好习惯，我决定指导学生养蚕，并要求学生把蚕的生长过程记录下来，通过长期观察蚕的生长过程，培养学生观察的持久性。

第一阶段：利用学生对养蚕的好奇心，引导学生主动观察、记录蚕的生长过程

开始这个实验之前，我在班上先进行了动员工作，我问学生："同学们，这学期我们的科学课有一个实践活动——养蚕，你们愿意吗？"学生一听，都非常的高兴。我接着说："养蚕也不是那么容易的，首先需要同学们分组轮流采桑叶，还需要大家把蚕的生长过程记录下来，这可能需要很长时间，你们能不能坚持下来？"学生基本上都是信心满满的。我想，不管学生到最后是不是真的能够坚持下来，但是学生对这个实验感兴趣了，这是进行观察的第一步。

2016年4月17日，从网上买的小蚕寄来了，拿到教室时，学生都非常开心。我让学生观察，这时候的蚕宝宝，大约只有1.5厘米长，也很细，直径约0.2厘米，

---

① 陈绪敏，女，本科学历，六安市人民路小学高级教师。主讲课程：小学数学，小学科学。

和一根细绳差不多。

我指导学生把蚕放在一个大鞋盒里，教室后面正好有一张空桌子，就把它放在桌子上，上面盖上一块湿毛巾。我要求学生，要仔细观察蚕的大小、形状、颜色，但是除了换桑叶的时候，其他时间不可以经常用手去摸蚕。

我在养蚕的盒子旁边放了一个本子，每天指定学生进行记录，包括蚕的大小，吃桑叶的情况，并把全班同学分成了五个小组，轮流采桑叶。周一到周五，由学生负责采桑叶和记录，周六、周日由我来负责(我家离学校比较近)。学校附近就有几棵桑树，采桑叶并不难。但是学生一开始不会采桑叶，先是弄不清楚桑叶的样子，或是采的都是老的桑叶，小蚕不爱吃。我自己带着学生去采了一些嫩桑叶回来，告诉学生，桑叶的形状是什么样的，怎样选择比较嫩的桑叶。采来的桑叶，还不能直接给蚕吃，需要先洗去上面的灰尘，晾干后再给蚕吃。

4月19日，小蚕长到了2厘米左右(见图1)。学生发现，蚕拉的便便是黑色的，很小。

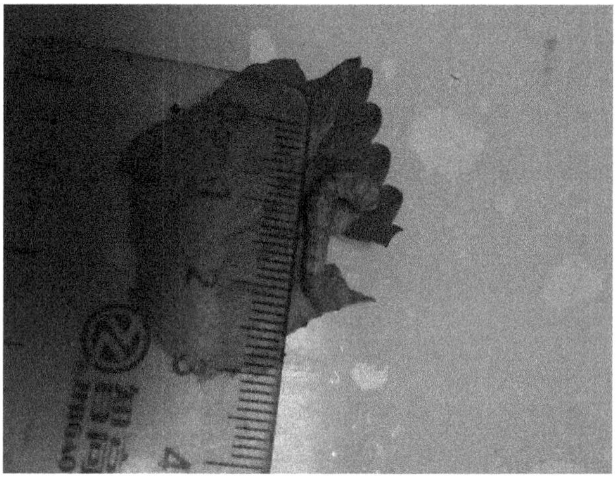

图1　第一次用尺子量蚕的长度

我又从班里找了几个做事情比较认真细心的学生，每天负责给蚕换桑叶。每次换桑叶的时候，先要把蚕一条条地弄出来，放在旁边专门准备的小塑料盒子里，然后把吃过的桑叶残渣和蚕的便便倒掉，再放上新鲜的桑叶。这个过程需要特别细心，因为这时候的蚕还比较小，很容易把蚕当成桑叶残渣倒掉了。一开始的几次，学生都是在我的指导下完成的。后来，我慢慢放手，让学生自己换桑叶。

4月21日，蚕长得非常快，已经大约有3.5厘米了。学生也很惊讶蚕居然会长得这么快。下课的时候,他们经常会去看,发现蚕基本上一天到晚都在不停地吃桑叶。这时候蚕的便便已经大一些了,每天拉的便便也比较多,我指导学生,及时进行清理。

4月23日,才两天的时间,蚕已经大约有4.2厘米了。桑叶也吃得比较多。这时候的蚕已经粗一些了,大约有0.5厘米的直径(见图2)。

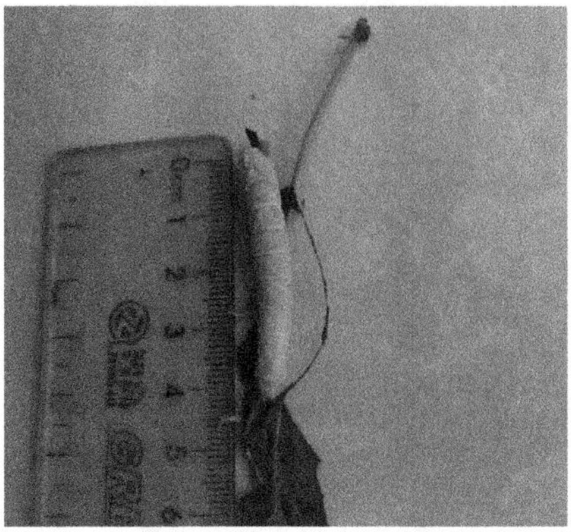

图2 隔一段时间后用尺子量蚕的长度

4月26日,蚕又长了一些,大约有5.3厘米。除了蜕皮的时候,其他时间,它们基本上都是在吃桑叶(见图3)。我指导学生弄了一些小细棍子放在盒子里,以便于蚕吐丝。蚕的便便很大了,有黑米的半个米粒大小。但是有一只蚕不知道什么原因,死去了,学生都很伤心。

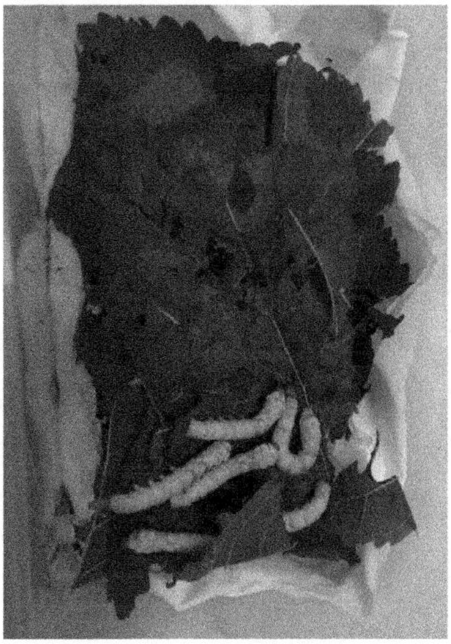

图3 蚕与桑叶

蚕脱皮的过程我们白天没有观察到，应该是在晚上脱皮的。但是白天有时候，学生会观察到蚕突然不吃桑叶了。我告诉学生，不吃桑叶，就是它们准备脱皮了。图4为小学生在观察蚕。

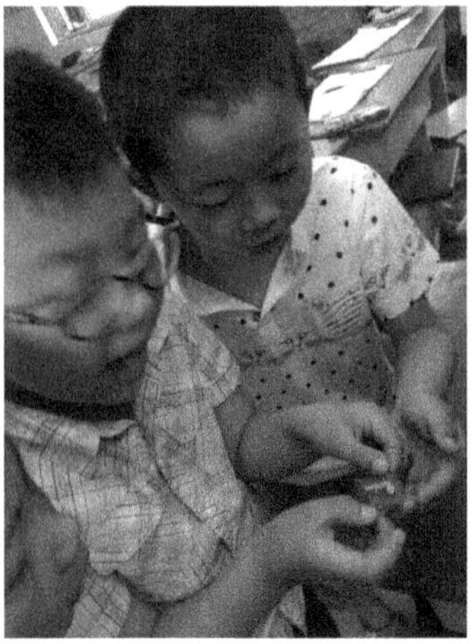

图4 小学生在观察蚕

在这段将近10天的时间里，学生基本上都是比较积极的，因为受好奇心的驱使，每天的观察记录也大都能及时完成。但是过了这段时间的新奇感，我发现学生慢慢地懈怠了下来。有几次，负责换桑叶的同学都忘了给蚕换桑叶，结果蚕饿了大半天。

怎么样能让学生坚持下来，是我接下来要做的事情。

第二阶段：利用“任务驱动”的方式，让学生知道，科学观察需要坚持

我告诉学生，观察需要有持久性，有价值的科学发现绝不是“走马观花”的结果。例如，著名科学家竺可桢通过24年的物候记录，发现了太阳黑子活动周期和植物花开花落等物候之间的关系。达尔文也是经历了几十年含辛茹苦的观察与实验，写出了著名的《物种起源》。所以，大家观察蚕的生长过程，一定要持之以恒，不能半途而废。为了让学生能坚持下来，我也想了很多方法。

方法一：让学生每天轮流给蚕拍照，放到班级微信群里，让家长也一起分享劳动成果，以此促进学生的观察积极性。

我把手机带到教室，告诉学生，从今天开始，我们要每天选几位同学给蚕拍照，记录蚕的生长过程。然后由老师负责放到班级的微信群里，让家长也来欣

赏我们的劳动成果。这一招果然管用，很多学生都想争着给蚕拍照。我告诉学生，老师要选的是观察最仔细，写观察记录最认真的孩子。我用这种办法来调动学生观察的积极性。

学生又继续了他们的观察记录：

4月28日，最长的蚕已经有大约7厘米了，跟小手指差不多粗细。已经有一只蚕开始吐丝了，蚕丝是透明的(见图5)。蚕只要开始吐丝了，就会一直不停地吐，中间不停歇。它们把自己一层一层的包裹起来。一开始学生还能看到蚕吐丝的样子，因为外面包裹的蚕丝还不多，但是慢慢地，蚕茧越来越厚，就看不见中间的蚕了。

图5　蚕开始吐丝

蚕结茧子之前要找到适合结茧子的位置才行，要能够把丝先缠绕在一些小细棍上面，然后再一圈一圈地把自己包裹起来。所以，我指导学生弄来更多的细棍子，放在盒子里。

4月29日，已经有一个完整的茧子出现了，是白色的，茧子很硬，我让学生摸了摸，学生都很好奇(见图6)。

4月30日，早上学生来到教室，发现又有一只蚕开始结茧子了。其他的蚕还在不停地吃桑叶，最长的蚕已经有8厘米长了，直径大约有1厘米，像毛毛虫一样。有的女生很怕这样胖乎乎的蚕，觉得那是毛毛虫。我告诉学生，虽然这时候的蚕和毛毛虫很像，但是它们和毛毛虫是不一样的，蚕胖乎乎的肚子里，装的都是为人类造福的蚕丝。蚕是一种对人类有很大贡献的动物。

图6 展示第一个蚕茧

5月2日，其他的蚕也都开始陆陆续续地结茧子了。有一个茧子是黄色的。学生大多没有见过黄色的蚕茧，都非常好奇。我也是第一次知道，蚕茧也有彩色的。图7为学生在观察蚕茧。

图7 观察蚕茧

方法二：和语文老师配合，让学生写课堂作文和观察日记。

开展课堂观察，是以学生发展为中心的，教师在课堂中要充分关注学生的状态，从学生的注意状态、参与状态、交往状态、思维状态、情绪状态、生成状态等方面去引导。为了让学生能坚持观察、坚持记录，我和语文老师配合，让每天的语文日记增加观察蚕的内容,这样学生能够将平时观察的结果和语文的学习结合起来。

5月4日,有一个叫赵华文的学生,惊讶地发现,有一只蚕吐丝的方法不对,别的蚕都是一圈一圈地吐丝把自己缠绕起来,这只蚕却是在盒子里平铺着吐丝。我让学生重点观察这只蚕,并把它记在语文日记本里。学生发现,它吐出的丝越多,它的身体就越小、越短,颜色也在变,原来是白白胖胖的,现在变成了黄褐色。

5月6日,其他的蚕都在按正常的方式结茧子,每天的茧子都是不同的,有正在结的,有已经结好了的(见图8)。

图8 变化中的蚕茧(一)

5月8日,那只只会平铺着吐丝,不会把自己包裹起来的蚕,更小一些了,从刚开始吐丝的7厘米,慢慢缩短到了2.5厘米左右。全身变成了褐色,脚也慢慢地变短了(见图9中间的那只)。

图9 变化中的蚕茧(二)

5月10日，其他的蚕都结成了茧子。那只作为重点观察对象的蚕颜色更深了一些，慢慢变成了蚕蛹。这只蚕因为不知道怎么样把自己包裹起来，所以和其他的蚕不一样，一直都露在外面，正好让学生观察到了蚕吐丝、成蛹的整个过程。

5月14日，第一只蚕蛾飞出来了。学生看到蚕蛾从蚕茧里飞出来，都特别惊奇，因为蚕把自己包起来的时候，是像毛毛虫一样的，现在过了大约半个月的时间，蚕从茧子里出来，居然变成了蚕蛾，这是一种非常特别的变化（见图10）。

图10 第一只蚕蛾

蚕蛾在教室里飞，影响学生上课，我就拿来更大的箱子，把蚕蛾装在里面，箱子上面开了一个小口子。也有个别的女生特别怕这个东西，我就告诉她们，蚕蛾从蚕蛹里飞出来，是为了下蚕宝宝的。

5月20日，蚕蛾都一只只地出来了，交配、产卵（见图11）。

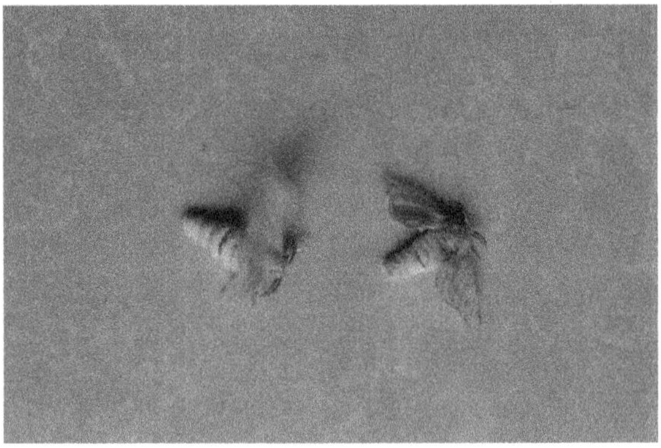

图11 逐渐成熟的蚕蛾

实验做到这儿，我深深地松了一口气，我的目的是让学生观察蚕的生长过程，培养观察的可持续性，现在，通过各种引导方式，学生已经认真地观察了蚕生长、结茧、产卵的整个过程，而且坚持了大约一个月的时间，我也挺欣慰的。我希望收集的这些蚕卵能够孵化出小蚕，但是这个实验没有做过，也不知道能不能成功。

第三阶段：利用学生的质疑心理，让他们继续观察蚕卵的变化

蚕蛾产完卵以后，就飞走了，那些卵就留在了盒子里。蚕卵的样子很像鱼卵，是一个个小颗粒的样子。我告诉学生，这些蚕卵究竟能不能孵化出小蚕宝宝，老师也不知道，你们可以继续观察，但是这次观察，可能会成功，也可能会没有结果。这就是科学探究的精神，科学，从来都没有现成的答案，可能会成功，也可能会失败。

有几个学生当时就表示，就算没有结果，他们也愿意继续观察。

第一天，蚕卵没有变化。第二天，蚕卵也没有变化。一连好多天，蚕卵都还是那样。我也认为这次的观察不会有结果了，蚕卵孵化成小蚕，毕竟不是那么容易的。有时候，学生发现阳光从窗外射进来，会照在蚕卵上。我想，这难得的阳光，大概就是后来蚕卵能孵化出小蚕的原因吧。

5月30日，星期一的早上，我刚到学校，班长刘茜茜就兴奋地跟我说："陈老师，小蚕宝宝好像真的出来了！"她用了"好像"一词。我赶紧来到班里，发现蚕盒里出现了一个个黑色的小点点。只有3毫米长，1毫米粗，特别的小。学生七嘴八舌地问我："陈老师，怎么这么小，这么黑？这是不是孵化出来的蚕宝宝啊？"我以前也没有见过刚孵出来的蚕宝宝。就告诉学生，老师也不敢确定，等老师上网查阅一下资料。上网查阅以后，发现刚孵出来的蚕宝宝确实是像这样小小黑黑的（见图12）。

观察了这么长时间，蚕卵终于成功地孵化出来了，学生都特别兴奋，以后的观察日记，不用我过多的督促，学生都记得很仔细。

我和学生一起采来很嫩的小桑叶，用剪刀剪得特别细，放在盒子里给蚕宝宝吃。学生都怀疑这么个小不点能不能活下来。我让他们继续观察，耐心等待。

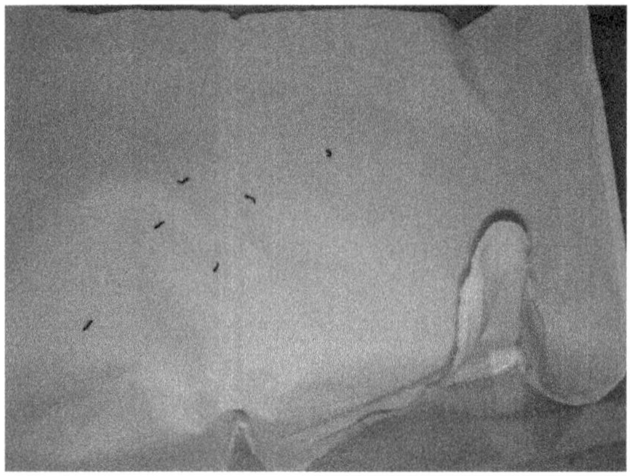

图12 刚孵出来的蚕宝宝

当天放学走之前,我又和学生一起来观察蚕宝宝,发现它们居然比早上长一些了,大约有4毫米长。真是让人很惊讶。学生们也很好奇,一天的时间,都能看到蚕宝宝长大的痕迹,说明蚕的生长速度确实是很快的。这个结论,是学生亲自观察到的,一定印象很深刻。

5月31日,蚕宝宝又长了一些,大约有6毫米长,不像刚出来时那么黑,颜色淡一些了。但是有两只死去了。这时候,它们吃的桑叶还不是很多,必须用剪刀剪得很细给它们吃(见图13)。

6月1日,小蚕宝宝大约有7毫米长,颜色由淡黑色变成了深灰色。已经可以自己吃嫩桑叶了,不需要再剪成细丝。蚕宝宝的粪便非常小。图14桑叶中间的是蚕宝宝。

图13 剪桑叶

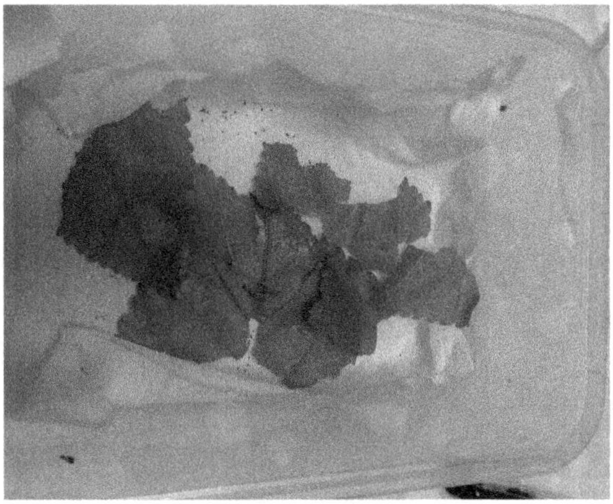

图14　成长中的蚕宝宝(一)

6月3日,蚕宝宝总是在不停地吃桑叶,早晨放进盒子里的桑叶,过两个小时再看,就有了一个个小洞洞。蚕的便便大一些了,比较多,需要每天清理。蚕宝宝的颜色更加淡了,约有9毫米长。我让学生拿尺子量一量,做好记录。

6月6日,蚕宝宝已经大约有1.2厘米长了,颜色是淡灰色的(见图15)。

图15　成长中的蚕宝宝(二)

6月8日,蚕长得真快啊,快有2厘米长了,颜色也变成了灰白色(见图16)。

6月10日,蚕的颜色依然是灰白色,有点胖,2.5厘米长,0.5厘米粗。

6月12日,学生的观察记录上写着:蚕宝宝还是灰白色,3厘米长,0.6厘米粗。

6月15日,蚕的颜色更白一些,有4.5厘米长。

6月18日,蚕宝宝完全变成了白色,已经有6.5厘米长(见图17)。

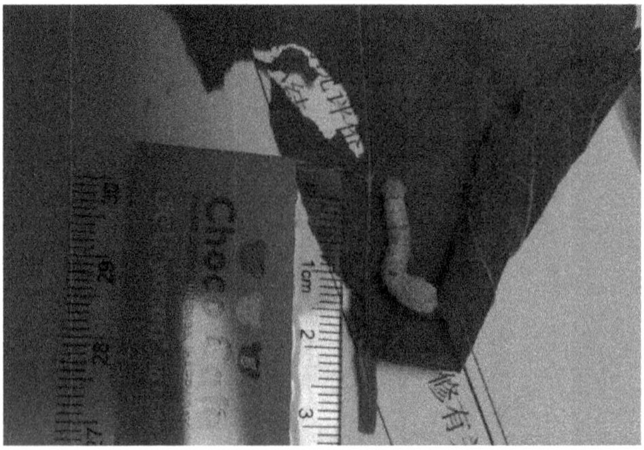

图16　成长中的蚕宝宝(三)

图17　成长中的蚕宝宝(四)

6月19日，蚕变成了银白色，大约有7厘米长，0.9厘米粗。

6月20日，蚕依然是银白色，大约有8厘米长，1厘米粗，有一只蚕开始结茧子了。

6月21日，有三只蚕开始结茧子了。

6月23日，所有的蚕都结了茧子。学生把黄色和白色的蚕茧都收集起来，非常兴奋(见图18)。

图18 小学生们展示蚕茧

这次,我让学生把蚕茧带回家,给这段时间的观察留个纪念,另外也快要期末考试了,不适合再继续养蚕。

这次的养蚕实验,对我和学生来说都是终生难忘的。因为整整坚持了两个多月的时间。在这两个多月的时间里,我们遇到了很多困难,每天采桑叶,每天照顾蚕,都很辛苦,但是学生都坚持下来了。在观察过程中,我鼓励学生去思考、去尝试、去实践,经历科学过程,体验生命历程。蚕的一生是非常短暂的,但是它们为人类贡献了珍贵的蚕丝。我也适时地向学生渗透关爱生命、感恩生命的教育。通过这次养蚕活动,我欣喜地发现,学生比以前更有爱心,做事情也更多了一份耐心。这次养蚕活动,虽然辛苦,却逐渐培养了学生科学的观察精神、良好的品格和行为习惯。

这两个多月的养蚕经历,让我和学生都受益匪浅。

附:养蚕观察记录表(见表1)。

表1 养蚕观察记录

时间	蚕的大小	颜色	吃桑叶情况	粪便大小、颜色	脱皮情况

攥在手心里的甜

——一只小龙虾引起的故事

唐 梅[①]

那是三年前的事了，至今，我仍清晰地记得那个男孩——柏翔。

在一次科学课上，一位学生走过来，带来了他的小宠物——一只小龙虾，并且大方地要把他的“宠物”送给我。我笑着谢绝了，告诉他，我的爸爸妈妈就在老家养龙虾……他连忙打断我的话，说：“老师，你能送我一只龙虾吗？我想给我的龙虾找一个伙伴，它自己太孤单了……”看着他恳求的目光，我很爽快地答应了，没想到班级里一下子沸腾了：“老师，我们也想养龙虾！”面对孩子们期待的眼神，我没有办法拒绝他们，我想：可不能“白”送给他们啊！经过短暂的思考，我告诉他们：“想养龙虾，可以！但是，如果你们能在下节课说出养龙虾的方法和注意事项，端午节放假回老家，我给你们带龙虾来，给每个人发一只小龙虾。你们能做到吗？”

可以想象，接下来的一节课上学生交流养殖龙虾的方法时的那种热烈场面。

我清晰地记得端午节后的那节科学课是一个星期四上午的第四节课。我踏着预备铃声走进教室，看着学生期盼的眼神，我也该兑现我的承诺了。考虑到安全问题，我选的都是幼小的龙虾，即使放在手心，也不会对学生造成伤害。另外，为了保护小龙虾，培养学生爱护小动物的习惯，之前我要求学生必须带个盛放龙虾的器具，才能领到小龙虾。

我先给所有带盛放器具的学生分发了小龙虾，最后发现有四个男生没有带器具。我说：“没有带器具的几位同学，如果你们真的很想养龙虾，就用纸折一个盒子，然后上来领一只吧！”让我意外的是，坐在讲台右边的那个男孩

---

① 唐梅，女，本科学历，合肥市桂花园学校（东区）一级教师，高新区小学科学兼职教研员。主讲课程：小学科学。

子——柏翔，还是没有来领取龙虾。可能是感觉到我在看他，他很小心地看了我一眼，接着迅速把头低下去。我看到他那双放在桌子上的小手在微微颤抖，我的心像是被什么东西触动到了，微微震了一下：他现在在想些什么呢？究竟想不想领养一只小龙虾？他这么不主动，我应该怎么做呢？视而不见地放弃他？还是……？

一时间脑海中浮现出无数种可能性，在反复纠结中，我的眼睛瞟向盛放小龙虾的塑料小桶，里面还有六七只龙虾，其中有一只稍微大一些。我将它拿了起来，说："这只最大的龙虾给谁呢？"同学们的注意力一下子集中在我手中的龙虾上了，都争着想要这只"大"龙虾。此时我看到柏翔忽然抬头看着我手里的龙虾，我知道他是想要得到一只小龙虾的。可能是感觉到我在看他，他再一次把头低了下去，我看到他放在桌子上的小手抖动的幅度更大了。不知道是什么原因，我忽然间很心疼他。

柏翔是班上比较特殊的学生，从我接班时，搭班的老师就告诉我，凡是坐在每个班级讲台两边的孩子，就是班上不听话的孩子，并且是没有同学愿意和他坐一起的……只要他们上课不捣乱，尽量不要找他们，否则就是给自己找事。这也就是说，柏翔他们都是被"孤立"的学生。

可是，在我看到柏翔那双颤抖的小手时，我不禁在想：我到底在做什么？我怎能如此草率地放弃一个孩子，浇灭一个家庭的希望啊！作为老师，更需要的是能关注到那些出乎寻常的学生，关爱那些需要得到关注的学生。于是我对着柏翔说："我想把它送给你，好吗？"教室里瞬间静了下来。我看到他的手抖动得更厉害了，而且连嘴巴都颤抖起来，因为简单的一个"好"字，他居然说了好几秒钟，眼里净是喜悦和激动。当他用那双小手接过小龙虾的那一刻，他终于敢抬起头和我对视了，我看到了他眼中的兴奋和激动，而我的心里却满是自责。

接下来我引导孩子们仔细观察自己领到的小龙虾，让每个人用一个词来评价自己的小龙虾，并向全班同学介绍自己的小龙虾，有的说"可爱"，有的说"害羞"，还有的说"美丽"……我清晰地记得"霸气"这个词，这是柏翔第一次主动举手回答我的问题。

"你的龙虾'可爱'在什么地方？又是怎样'霸气'的？大家能写下来和其他同学进行交流吗？"当我说到"霸气"时，特地看了他一眼，他也正在看我，再一次四目相对，我第一次看到他在我的课堂上露出如此真诚的笑脸。那一刻，我的心再一次被触动了。

在柏翔“领”到小龙虾时，我从他的眼睛里读到了喜悦和兴奋，清晰地感受到了这个孩子打心底是想要领养一只小龙虾的。可是他为什么不走上讲台主动领取呢？仔细分析一下，我基本上知道了答案：原来他“偷偷看我”是因为不自信，原来他的“手微微颤抖”是在犹豫，可能是受的伤害太多，害怕再次受到伤害吧！他是想保护自己，虽然他也很想领养一只小龙虾，可是害怕遭到我的拒绝，所以他只能选择保持不动来“保护”自己。多么倔强而又脆弱的一颗心啊！

看着柏翔也能和其他同学一样认真地观察，认真地写，我的心久久不能平静。

下课的铃声响起来了，我快速整理着教学用具，准备离开教室，柏翔急忙喊住我，看着他想说又说不出的着急表情，我不禁心疼地问：“你想和唐老师说什么？慢慢说！”他花了很长时间，才挤出一句：“老师，给你！”接着伸出右手，在我面前打开，我看到了攥在他手心里的四颗水果硬糖。虽然我很不喜欢吃糖，可看着他期待的表情，我不忍心拒绝，于是微笑着对他说：“柏翔，唐老师平时是不吃糖的，但是今天老师一定会吃一颗的，剩下的糖你帮老师吃完，好吗？”他一个劲地点头。在我的手碰到糖的那一刻，我的心里又是一震，眼眶就湿润了：水果硬糖已经变成“软糖”了！他把这几颗糖攥在手心里到底有多长时间了？想到这里，我的鼻子酸了，泪水再也忍不住掉了下来。

眼睛里衔着泪水，我小心地将糖纸剥开，把糖放进嘴里，浓浓的甜味慢慢从我的嘴里扩散到心田，再从心田慢慢扩散至全身的每一个感官，弥散在我的周围。这是我尝到的最甜的一颗糖！

“谢谢你，柏翔！谢谢你让我尝到这么甜的一颗糖。”

他腼腆地笑了，我感觉他的笑都带着浓浓的甜味。

几天后，他们的语文老师李老师找到我，询问那一节课的情况，说几乎所有学生这周的周记都在写科学课上领养小龙虾的事，柏翔这次的周记难得写了这么多，字还非常工整，四年来她第一次看到柏翔这么认真地完成作业……

听到李老师这么说，我真的很欣慰，也很庆幸自己当时选择的做法，不然可能会让一个本已受伤的心变得更加默然。同时，我也深切地感受到：原来老师一个不经意的做法对学生的影响是如此巨大。

结束语：一个学期结束了，对于柏翔在这一段时间的表现，我非常满意，综合评价时，我毫不犹豫地给个“优”。还特地找到了班主任李老师，一再嘱托她不要弄错了。让我欣慰的是，李老师告诉我，柏翔最近在所有课堂上表现都很好,不仅认真听课了,作业都开始认真完成了,进步非常大。一年的交流时间到了,我即将回到我原来的学校,但我不会忘记这个小男孩,也会继续关注他的成长和进步。

亲爱的朋友,你感觉到这颗糖所散发出来的“甜”了吗?

随时·随想·随记
——科学教学启示摘录

武红卫[1]

启示一:“科学小助手”

一天,收到一个学生的信,落款是:您的小助手。

信中讲了三个问题,请我予以解答:一是有天晚上刮风,他就把手中的旗子展开,按书上讲应是“微风”,他为什么觉得冷?二是……三是油画棒的来历和组成是什么?

前两个问题是上节课请同学们自学的还没检查和讲授的新知识“风力和风速”,由此可见,这个小助手是用心看书自学了,更难能可贵的是,他能够自觉地运用知识,并且以怀疑的目光检验知识。

而从第三个问题中可以看出,这个学生已经开始带着“?”生活了。对生活中、学习中、世界中的任何事物都能自然而然地产生“从哪里来?”“怎么来?”“由什么组成?”的要探个明白的心理需求,这才是科学学习的真正目的。而教师则需帮助孩子们认识世界,引导孩子们对探究产生兴趣,建立情感,加以关注,倾注精力。

“科学小助手”是我对科学课堂上每一位学生的统称。我称他们“科学小助手”,旨在引导他们不依附于任何他人,让他们知道他们属于科学,与求真为伍。因为这样一个崇高的称号,学生会感觉自己不再年少,他们会睁开科学家一样的眼睛,会启动沉睡的头脑,会发挥灵巧的双手去观察、去发现、去追问、去思考、去实验、去创造,让无聊的日子增添乐趣,让无拘的时光富有意义,让生活有自己的方式。“科学小助手”是一个称呼,更是一种荣誉,有了这个称呼,孩子

---

① 武红卫,女,本科学历,安庆市石化第三小学高级教师,副校长。主讲课程:小学科学。

无形中就会增添一种精神、一种责任、一种使命,就会尽量地让自己无论是从神态、语言还是行为上都向科学家靠近,模仿科学家,就会获得拷问万物的胆略、探询真相的雄心。我非常高兴这个学生以“您的小助手”作为落款,由此说明学生已经接受并喜爱上了这个称呼,这个“小助手”既是学生向教师表达喜爱之情,也是学生科学责任感的体现。

把学生的脑海置于科学的宇宙之中,改变学生的身份,让他们知道现在他们就是一个小科学家,知道他们的任务并不仅仅是学知识,而是像科学家一样去研究,知道他们有专业的知识和语言,这样渐渐地就把他们“弄假成真”了。

“科学小助手”不是教师小助手,让学生做科学小助手,就破除了他们对教师的畏惧,因为科学无处不在,无时不有,易于学生把目光投入真实的世界中去求真。同时,教师也是“助手”之一,这种角色的定位,一方面能使教师对科学有敬畏之心,不至于盲目、随意地对待科学,另一方面也使教师以怀疑之心去探究一切,促使教师不囿于教参和教材,能大胆地尽力地为上好每节课去寻找素材和科学依据。这种角色的定位,还能转变师生的关系,使师生像同事、朋友那样平等交流,相互探讨,彼此欣赏。

今天的“小助手”,明天的“掌门人”,他们将主宰世界!

启示二:让每一天都有一点发现

有一天徐畅同学问我:“武老师,昨晚我与妈妈买烤鸭,看到烤炉里没有火,但鸭子也是热的,为什么?”她问了妈妈,妈妈说不知道,于是来问我。我请徐畅同学尝试按以下步骤去获得答案:①晚上回家后,将自己的手心或手背,最好是手背放到台灯下,由远到近缓慢移动,体会手部的感觉;②到极近处后,长时间放置不动,体会手部的感受;③想象一下若手不拿开,往后会有什么样的结果;④用温度计测量台灯极近处的温度;⑤自己分析得出一些结论,要求把五个过程中的感受尽可能多地记录下来。

第二天徐畅来向我汇报结果,我认真听了她的结论:①手若一直放在灯光极近处,会被烤焦的;②若升高温度,位置不变,手被烤焦的速度将加快,时间会缩短;③鸭子的烤制是热能作用的结果,“明火”只是热能的一种表现形式。我对她的做法和汇报赞不绝口。

学生对科学的浓厚兴趣,缘于他们对生活的热爱和与生俱存的探究心理。教师要不厌其烦予以褒赏。教师要借每一次的机会帮助学生获取科学知识,保护学生的学习热情之火，并不断地让学生复习、巩固，掌握科学学习的方法，即设问—猜测(预测)—实验—对比论证—获得结论，要指导孩子去观察、去感受、去分析、去实际操作、去总结。

学生在获得所需的情况下才会产生满足感，就如同他想吃东西，你满足了他，他才会再产生食欲。知识欲也一样，学生并不怕麻烦、不怕苦累，他们渴望让自己的业余生活有意义、有事做。很多时候教师担心他们会玩、会不情愿，这是多余的，我们怎么看学生、怎么想学生、怎么教导学生，学生就会成为我们所想的那个人。所以我们要让学生想学，想获取知识，想以动手、动脑取代无所事事、无聊闲适，学生定会成长为我们所希望的人。

让学生每一天都有一点新发现，就如同让学生每一天都有一点美味品尝一样，学生会上瘾的。

启示三：儿童与科学

苏霍姆林斯基说，儿童就其天性来讲，是富有探究精神的探索者，是世界的发现者。

鲁道夫·史代纳说，记忆必须从感受和行为的层面来加深，而非单纯的智力层面的练习。

我说，自由和探索是儿童的天性和本义。让科学学习渗透进孩子的每个感官，再透过行动付诸实践，而非仅仅停留在头脑层面。

学生为什么会喜欢科学课?

(1)因为他们可以动手去制作大量包含他们认识、想法的东西，而无论是认识还是想法都属于他们、来自他们，令他们自豪，让别人称羡，这很重要。

(2)他们有与生俱来的强烈的改变生活、改变技术的天赋和才能，让他们施展才华，就如让他们释放压力一样舒服。

(3)他们可以表达自己的观点，因为他们有这样的权利、有这样的欲望，即使教师也得尊重他们，使他们有平等的、民主的地位，这是一种尊严。

(4)他们可以架上科学知识的翅膀，发挥自我表现的秉性，这样的表现会使他们更具有力量，品尝到学习的滋味，是多么别有风味。

启示四：多种形式即时评价学生

科学学科对学生的评价必须按照新课程标准提出的“建立促进学生素质全

面发展的评价体系”进行,在对学生的学习评价上,要注重质性评价、发展性评价、合作评价、真实性和情境性评价、过程性评价。

为此,我设计了《科学学科评价表》。这份表格每学期开学第一节课即发到学生手中,贴在发给学生的科学记录本的扉页上。评价表中设计了“科学记录本”“科学报告”“创造之星”“科学问题对对碰”“科学日记”“观察记录”“科学小助手”“星河闪烁”八个评价项目,“学生自评占50%”“同伴互评占10%”“教师评价占40%”三个评价主体。

学生从开学第一天起,就开始边学习边对自己进行评价,他们的每一个科学学习言行都能够作为评价依据,转化为学习分数。此外,结合教学内容和教学方式,同伴互评、教师评价也在公正、公开、公平的真实教学情境中转化为学生科学学习的成绩。

这样的即时评价,让学生即学即有所获,让学习有困难的学生在合作学习中获得可观的成绩,帮助他们克服学习的畏难情绪。

这样的评价方式,体现了科学无处不有、无时不在的特点,同时,帮助学生掌握科学的学习方法,如观察、记录、质疑、实验等。

在评价主体的划分上,我将“学生自评”分值占比定为50%,意在传达给学生一个重要的信息:学习是自己的事,只要自己努力,一定会取得自己希望的成绩。

在分值上,我采取“上不封顶”的做法,从开学第一天起,学生就可以按照每一项的分值像捡豆豆一样地争取分数,有付出就会有收获,无止境,仿佛科学没有顶峰一样。这也是我要传达给同学们的一个科学精神:科学就是不断地追求,科学没有止境。本学期,科学成绩最高分达364.5分,绝大多数同学的成绩都超过了100分,同学们非常高兴。由于有同伴互评和教师评价做基础,所以没有学生的成绩会低于60分。

这样的评价方式,我相信终会使同学们对成绩的争取演变为对科学的追求。

对学生的评价,除了常用的“分数”指标外,还有教师对学生言行的及时评价。例如:

(1)肯定学生的某个言行是正确的,或反之。

(2)引导学生模仿直至拥有某些言行,或避免之。

此外,还有对学生科学学习过程的评价,这种评价的特点是具体、真实、鲜活、实效、亲切。

例1:做“溶液”实验时,学生自配溶液。我一开始担心因为没有烧杯,许多学生都不会完成,结果上课时教室里的容器是琳琅满目,有“南山奶粉”的赠品玻璃杯、有矿泉水瓶、有婴儿用的奶瓶、有喝水的水晶杯……高低、大小不一,形状、色彩多样。说实话,看到同学们高超而自然的资源利用能力,我无比兴奋。借此机会,我在全班进行了表彰,根据每个人的具体情况进行打分,以此启发每一位学生要想办法利用身边一切可利用的资源。能够有效地利用资源也能获得分数。

例2:在“溶解”一课中,课前我设计了16种溶液请同学们回家分头配制,其中有矿泉水。詹学霖同学下午来到学校告诉我:“武老师,为了买到矿泉水,我中午跑了好几家商店,最后才买到。”之后,课堂上要展示汽水,而准备汽水的同学带来的却是一听牛奶饮品。于是,我对前者进行了表扬,表扬他买东西的方法和技巧,引导学生像他这样做,并奖励了一定的分数,同时,我将自己预备着的汽水展示给同学们,让他们注意看清商标上的汽水标注,提高他们生活的技能和本领,也在一定程度上帮助他们了解生活的丰富,将学习和生活联系起来。

启示五:灵活开发运用教学资源

在教学中,能否充分利用好教学光盘资料、教学用具,并灵活地使用所有资料和各种相关信息,是科学教学取得良好效果的保证。在教学中,我通过以下几个方面发挥资源在教学中的重要作用:

(1)发挥教材配送的光盘的作用。

(2)让孩子能够到实地进行参观,如学习“天气”一课后,组织学生到气象台参观。

(3)拓展学生的知识量,注重通过声、色、像等表现形式,丰富教学内容,活跃气氛,更重要的是提高学生的兴趣。

(4)重视对教学资源的二次开发。除了寻找利用资源外,在教学中,适当调整教学程序也能达到对现有教学资源的二次开发和利用。如“电”部分光盘资料最后一个内容是“电和我们的生活”,放在单元结束后展示,有虎头蛇尾之遗憾,如果将其放在本单元开篇,则有开门见山、激发兴趣、引人思考的作用,然后再依据学生生活经验拓展本内容的环节,则可以为后面的学习储备下丰富的可借鉴、比较的资料,进而加深对本单元知识的学习。

(5)重视文本资源的作用。科学课资料很丰富,可是课时有限,教学内容有限,很多资料课堂教学中不能使用得上,那么将它们打印出来,发给学生作为自学拓展知识的途径,则有助于学生自我学习能力的提高,而且许多资料与学生的生活紧密相关,如:“脱毛衣时听到劈啪声,为什么?”这样学生就能有意识地关注生活中的科学现象,关注生活、自然、自我,研究、品读、探索的习惯就会逐渐养成。

(6)师资也是科学资源,而且是最重要的资源。一些学校严重缺乏科学教师,尤其是优秀的、专业的科学教师。科学课师资紧缺的背后,是对科学教育的不够重视。虽然有些地区的小学开设了科学课,但只是处于副科地位,无法保证课时。正在开展小学科学教育国家标准修订工作的中国工程院院士、中国科协副主席、教育部原副部长韦钰坦承:“我们几亿孩子将来的科学素养,不是开玩笑的事。”任何事情,人是决定性因素。作为学校、科学课授课教师,都应该充分认识到教师这一资源在提高学生综合素养中的重要作用,应努力提高教师自身的科学知识水平、教学能力,提高对科学教学的认识,提高科学教学的水平和质量。

遍洒雨露润春苗

岳一光[①]

“每个孩子都是一座有待开采的金矿”，这句话说得太好了！自然赋予每个孩子的都是美好的，上帝为你关上一扇门，就会为你打开一扇窗，没有十全十美的学生，也没有一无是处的学生，教师要发现每个孩子的闪光点，让他们树立自尊，找到自信。

有一件事至今难忘，使我想到了要善待每个孩子，适时鼓励他们。一天，科学课堂上我正在给学生上课，突然有人起哄似的大叫一声“唉”。我一看是坐在拐角里一个平时比较调皮的孩子，名叫张岩，我瞪了他一眼，没好气地说：“起什么哄！”说完我继续讲我的课，没再搭理他。他依然是常犯小错误，也照例常常被老师批评、被同学嘲笑。可是后来发生的事让我对他的看法发生了改变。

一个寒冷的冬天，我正在上课，突然狂风大作，要下大雨了，我起身去关门，可是门坏了，折腾了半天也关不上，正焦急之中，突然一个学生跑过来，借着身高力壮，很快把门关好并迅速回到自己的座位上。全班愕然，竟然是张岩。我心里好像被什么东西触动了一下，真不该对学生有成见啊！突然为自己上次的做法感到懊悔，不能因为学习成绩差就不问青红皂白地把他批评一通，完全可以换一种方式来对待他，比如可以说“你上课能积极回答问题很好，但是可要看仔细哦”，这样可能就会收到意想不到的效果。想到这里，我说：“张岩同学能在老师遇到困难的时候出手相助，这种助人为乐的品质值得大家学习！”哗！全班鼓掌。

受到了表扬和鼓励，他开始认真听课了，班级活动更积极，抢着给老师擦黑板、打扫卫生、修理坏了的灯管，像个小老师似的制止上课说话的同学，成绩也

---

① 岳一光，男，淮南市毛集实验区实验小学一级教师。主讲课程：小学科学。

有了进步。老师们都说张岩变了。

后来发生的一件事使我想起来心里就充满着感动！一天，我正为两个学生旷课的事闹心，回到办公室，突然发现书里夹着一张纸条，上面写着：老师，请不要生气，你还有很多听话的好学生，保重身体，我们需要你！没有落款，我一看就知道是张岩的字迹。我的眼睛湿润了，一个老师和同学眼中的差生竟然有这样细的心去关心他人、体贴他人，多么可贵的品质啊！我们老师平时对待差生总是没好气，是否也应该反思一下自己的做法呀。有时他们调皮是为了引起我们的关注，有时他们好动也是因为个性迥异，不能用一把尺子去衡量每一个学生啊！想到这，我在班里表扬了张岩同学，同学们对他的看法也逐渐改变了。他在这个集体中找到了自信和快乐，学习也更有动力了。

张岩同学的转变使我受到了启发，我想，可以把全班同学调动起来，让他们发挥所长，为集体做贡献，也锻炼自己，树立自信心。我在班里开展了"我是班里小明星"的活动，评出了学习明星、体育明星、科技明星……各项活动开展得有声有色，每个学生都体验到了自身的价值，在班级里找到了自信。

差生不该是荒芜的角落，只要我们用心耕耘，同样会收获一片绿荫。我们不能以分数作为衡量一个学生的唯一标准，素质教育和良好道德品质的培养会让他们成为社会的有用人才，有自己的一方用武之地。大家应该给予差生更多的关爱，多看到他们的优点，欣赏他们的长处。金无足赤，人无完人，天生我才必有用，要让孩子发扬自己的优点，学人之长，补己之短，把缺点变成优点。

曾经有一位教授在一个班级做了个实验，他在班里圈定几个学生，说他们智力超常，预言他们长大后会有所作为，若干年后，这几个学生都在各自的领域做出了卓越的成就。这说明积极的暗示使他们受到了鼓励，增强了自信心。作为教师，我们不能只关注学生的成绩，也要培养他们方方面面的能力和良好的道德品质，在家尊敬父母，帮父母做家务，在外关心他人，帮助他人，有责任感。有时我们也应该反省一下自己的做法是否正确，自己的教育是否也有误区，我们要跟孩子平等交流，不能摆出高高在上的姿态，切忌伤了孩子的心。一句鼓励的话会使孩子信心百倍，一句伤人的话会使孩子的心冰冷没有斗志，我们要善待每一个学生。

阳光普照每寸土地，春雨滋润每一株幼苗，须晴日，看万物生长，蓬勃苍翠！

舍不得拿回去的生态瓶

孙弋青[①]

2016年10月，我按照计划教学“做一个生态瓶”一课（五年级的课程）。课前备课时我就开始犯愁，让学生制作生态瓶，所需材料中大的塑料瓶好找，可鱼或其他的水生动物怎么办，家长会同意购买吗？水草怎么办？能买到吗？水底的泥沙或碎石呢？我找学生聊过天，有一些学生家里有养小金鱼的，也有养小乌龟的。生态瓶要在学校里放一周的时间，且不进行人工喂食，小鱼死亡的可能性极大，家长能同意吗？……学校的实验室这学期刚刚开始使用，没有鱼缸，为了防止没有学生带生态瓶，我打算用自己家里只有一个巴掌大的小鱼缸做生态瓶，买了三条3～4厘米长的红色小金鱼、白色小碎石和金鱼草放在里面，给学生观察。

布置完制作生态瓶任务的第二天中午放学后，五（2）班一位家长手捧着一只需要插电的小型水族箱来，里面有十几条美丽的热带鱼、一条清道夫、碧绿的水草，还有氧气泵，家长告诉我，还有一个插头是加热的，可以保持适宜的水温。我非常感谢这位家长对我教学的支持，也非常感动。这只水族箱送来得早，放在实验室就得将近两个星期了，在不喂食的情况下鱼的生长状况会如何，家长也不清楚，让我尽量实验，即使出现死亡的情况也没有关系，家长说：“让孩子认真观察研究，学到知识就值！”由于有了这只水族箱，这一课能有更多的拓展，我向学生介绍了热带和我们这里长江中下游一带的不同环境，开阔了学生的眼界，让学生更能理解生物与环境之间的关系。

11月2日下午，第一节课是五（1）班的科学课。当我走进教室时，看见学生都是一脸的兴奋，有20多名学生手里捧着大塑料瓶、玻璃鱼缸，还有拎着小桶

---

① 孙弋青，女，本科学历，芜湖市延安小学教师。主讲课程：小学科学。

的、拎着装水草的塑料袋的。学生准备的水生动物有红色的金鱼、小鲫鱼、虾、螺、泥鳅、小乌龟和大约只有一厘米长的不知名的小鱼苗,水生植物有金鱼草、浮萍和水葫芦。学生告诉我,有的螺、小鱼苗、浮萍和水葫芦是家长去郊外的水塘捞来的,其他的是家长们买来的。五年级的其他老师好奇地问我这是做什么?我说是科学课上课用的,老师们感慨万分,难怪孩子们喜欢上科学课,这是其他课堂上从未有过的快乐和学习热情。图1所示为学生制作的生态瓶。

图1　学生制作的生态瓶

一个星期过去了,生态瓶中有一部分动物因为各种不同的原因死亡了,学生们捞出这些死去的小动物,自行讨论导致小动物死亡的原因:生态瓶的空间过小,动物数量过多导致动物缺氧,植物过密,缺少光,螺跑出水外干死了,螺不喜欢自来水,制作生态瓶时有学生用手把鱼抓伤了,水底的沙不对,用了建筑工地里的沙……学生根据各小组的情况改变生态瓶。关于生态瓶的两课教学任务非常圆满地完成了,我让学生把各自的生态瓶带回家去,有近一半的学生和我商量仍然将生态瓶放在实验室,他们舍不得带回去,因为在实验室里大家能一起观察、共享,带回家了小组里其他的同学可能就看不到了。

经过这两年多的科学课程的学习,学生从最初的争抢实验仪器到今天把自己的物品放在实验室里给同学共享,已经养成了合作、分享的好习惯。